Christoph Hein

Stücke

Christoph Hein

BRUCH
IN ACHT UND BANN
ZAUNGÄSTE
HIMMEL AUF ERDEN

Stücke

Aufbau-Verlag

INHALT

BRUCH

Schauspiel in vier Akten

PERSONEN

Theodor Bruch, *Chirurg*
Luise Kubin, *seine Haushälterin*
Martin Sperling, *ein früherer Mitarbeiter Bruchs*
Reiner Manitlowski, *ein Geschäftsmann*
Ingeborg Schönbrunn, *eine junge Frau*
Mathilde von Mosch
Ein Chauffeur

1. AKT

Diele der Bruchschen Villa mit zwei Türen und einem Ausgang in einen Wintergarten. Ein schmaler Treppenaufgang führt in den ersten Stock. Die Tür zum Wintergarten verstellt ein altes Sofa. Auf dem Tisch steht Geschirr. Frau Kubin räumt Wäsche aus einem Korb in einen Schrank ein. Sie trägt dicke Wollsachen unter dem Küchenkittel.

BRUCH *tritt auf, er trägt unter der Hausjacke eine Strickjacke und um den Hals einen Wollschal*: Ist der Wagen da?

KUBIN: Welcher Wagen? Es ist kein Wagen da. Was soll denn für ein Wagen da sein?

BRUCH: Was für ein Wagen? Der Wagen aus der Klinik selbstverständlich. Wieso fragen Sie denn?

KUBIN: Es ist kein Wagen da. Und es wird auch keiner kommen.

BRUCH: Hat die Klinik angerufen? Hat man uns etwas ausrichten lassen?

KUBIN: Nein. Nein, sagte ich.

BRUCH: Kein Anruf? Überhaupt kein Anruf? Ich war schon zwei Tage nicht mehr in der Klinik. Wieso ruft man mich nicht an? Was passiert da hinter meinem Rücken?

KUBIN: Zwei Tage! Seit einem halben Jahr hat die Klinik nicht mehr angerufen. Man braucht Sie nicht mehr, Chef. Wir gehören jetzt zum alten Eisen. Das ist der Lauf der Welt. Die Jugend. Jetzt ist die Jugend dran. Jetzt wollen die Jungen zu ihrem Recht kommen. Da heißt es für uns, Platz machen. Da müssen wir beiseite treten, damit die zeigen können, was in ihnen steckt.

BRUCH: Ja, denen muss ich noch viel beibringen. Die sollen schließlich was lernen. Und von Bruch können die Jungen etwas lernen.

KUBIN: Wollen Sie frühstücken?

BRUCH: Ja.

KUBIN: Einen halben Apfel, einen Tee?

BRUCH: Wie viele Jahre sind Sie bei mir, Kubin? Einen halben Apfel, einen Tee. Ich habe mein Leben lang nichts anderes gefrühstückt. Warum fragen Sie denn?

KUBIN: Ich habe nicht gefragt. Ich habe es nur gesagt. Nur für mich habe ich es gesagt.

BRUCH: Wieso kein Anruf? Ist das Telefon wieder kaputt?

KUBIN: Nein.

BRUCH: Haben Sie es kontrolliert?

KUBIN: Es ist in Ordnung.

BRUCH: Es ist nicht in Ordnung. Es ist überhaupt nichts in Ordnung. Rufen Sie in der Klinik an, Kubin, verlangen Sie Schlatter und fragen Sie nach. Fragen Sie, was in meiner Klinik los ist.

KUBIN: Mit mir können Sie herumschreien, Chef, ich bins gewohnt. Aber reden Sie nur vernünftig, wenn Leute kommen. Sie erschrecken sonst alle. Ihr Tee. Ein halber Apfel. Bitte.

Bruch setzt sich, isst.

Als Gloria noch lebte, durften Sie so nicht mit mir sprechen. Da hat Ihnen Gloria aber was erzählt. Da war ich auch ein Mensch. Ihre Frau wusste, was sie an mir hatte. Luise, hat sie immer gesagt, Luise, wenn ich einmal nicht mehr bin, dann musst du für den Chef sorgen. Du weißt, dass er fürs praktische Leben nicht geboren ist. Das musste ich Gloria versprechen. Noch auf dem Sterbebett hab ich ihrs in die Hand versprechen müssen.

Die Türklingel.

Gloria war eine wunderbare Frau. Aber die hat auch nicht von einem halben Apfel gelebt. Das ist doch kein Leben.

BRUCH: Es hat geläutet, Frau Kubin.

KUBIN: Ich geh schon. Geh ja schon. *Geht ab.*

BRUCH: Fleischgewordene Dummheit. Und wie immer bei Dummheit eine gering ausgeprägte Neigung zur Sterblichkeit. Das überlebt uns alle.

Kubin tritt auf mit einem Brief.

War es die Klinik? Hat man den Fahrer geschickt?

KUBIN: Es ist nur ein Brief.

BRUCH: Von der Klinik?

KUBIN: Nein. *Liest den Absender.* Der Minister für Volksbildung und Gesundheit.

BRUCH: Ach, dieser Dummkopf. Haben Sie dem Briefträger Geld gegeben?

KUBIN: Wieso denn? Woher denn?

BRUCH: Geben Sie ihm zehn Mark. In diesen Zeiten muss man den Leuten helfen. Die haben doch alle nichts, diese Hungerleider.

KUBIN: Zehn Mark! Sie sind doch nicht bei Trost. Woher soll ich denn zehn Mark nehmen?

BRUCH: Geben Sie ihm zehn Mark, haben Sie verstanden. Immer nur an sich denken. Niedrigster Materialismus. Es sind schwere Zeiten. Die Leute haben nichts, sind halb verhungert. Da muss man helfen. Nicht nur an sich denken. Sie haben Ihr Auskommen. Sie leben behaglich unter meinem Dach, brauchen sich um nichts zu sorgen. Aber anderen Menschen helfen, das geht Ihnen nicht in den Kopf.

KUBIN: Woher soll ich zehn Mark nehmen? Wir haben doch nichts, Chef, gar nichts. Und ich habe drei Monate keinen Lohn bekommen. Drei Monate lebe ich nur vom Sparbuch. Und da soll ich dem Briefträger zehn Mark geben, als seis gar nichts.

BRUCH: Geben Sie ihm zwanzig Mark und Schluss.

KUBIN: Sie sind übergeschnappt.

BRUCH: Geben Sie ihm zwanzig Mark. Auf der Bank habe ich genug Geld. Im Safe liegen Tausende. Geben Sie ihm zwanzig Mark. Und kein Wort will ich weiter hören.

KUBIN: Tausende, ja, Tausende im Safe. Ich habe ihn längst weggeschickt. Zwanzig Mark für einen Briefträger! Weil er uns einen Brief bringt! Herr im Himmel, da fange ich noch heute bei der Post an. *Geht ab.*

BRUCH *ruft ihr hinterher*: Und geben Sie mir Bescheid, wenn sich die Klinik meldet. Umgehend geben Sie mir Bescheid. Unverzüglich. *Nimmt den Brief auf.* Der Minister für Volksbildung und Gesundheit. Auch so eine Sumpfblüte der Katastrofe. Nutznießer des Umsturzes. Nach oben geschwemmt durch die allgemeine Verwirrung. Ein Antifaschist. Na, das sind sie heute alle. Und ein Analfabet, das sind sie auch alle. Aber früher waren die Analfabeten Pferdeknechte und Reisigsammler. Heute schreiben sie mir Briefe. Ein Analfabet, der an den Geheimrat Bruch einen Brief schreibt. Ein denkwürdiges Ereignis. Aber das muss ich nicht lesen. *Er lässt den Brief auf den Fußboden fallen und geht ab.*

Es klingelt, dann tritt Kubin mit Schönbrunn auf.

KUBIN: Nein, das geht nicht.

SCHÖNBRUNN: Ich bitte Sie. Ich muss ihn sprechen. Mir kann nur der Geheimrat noch helfen.

KUBIN: Ja, und das geht nicht. Wenn Sie nicht Vernunft annehmen wollen, kann Ihnen eben keiner helfen.

SCHÖNBRUNN: Bitte.

KUBIN: Geheimrat Bruch ist im Ruhestand. Er operiert nicht mehr. Er ist ein alter Herr, der sich seinen Lebensabend weiß Gott verdient hat.

SCHÖNBRUNN: Kann ich ihn nicht sprechen? Nur einen Augenblick?

KUBIN: Sie belästigen ihn, begreifen Sie das nicht? Er kann Ihnen nicht helfen. Lassen Sie doch endlich einmal den alten Herrn in Ruhe.

SCHÖNBRUNN: Nur er kann mir noch helfen.

KUBIN: Das ist eine bodenlose Unverschämtheit. Verlassen Sie augenblicklich das Haus. Und unterstehen Sie sich, hier noch einmal zu erscheinen.

SCHÖNBRUNN: Aber der Herr Geheimrat hat mich schon einmal gerettet. Er ist so klug, er braucht nur einen Blick auf mich zu werfen …

KUBIN: Mein liebes Fräulein, Sie müssen mir nichts über den Professor erzählen. Ich habe mein ganzes Leben lang mit ihm zusammengearbeitet. Und ich bin nicht nur seine Haushälterin, ich war einmal seine OP-Schwester. Wenn hier einer darüber Bescheid weiß, dass der Chef ein großer Chirurg ist, dann bin ich das. Also erzählen Sie mir nichts. Er braucht jetzt seine Ruhe. Verschwinden Sie. Gehen Sie in irgendeine Klinik, aber lassen Sie den Geheimrat in Frieden. Er kann Ihnen nicht mehr helfen.

SCHÖNBRUNN: Nur einen Augenblick. Eine Sekunde.

KUBIN: Raus. Und unterstehen Sie sich …

BRUCH *tritt auf*: Was gibts denn? Was ist denn hier für ein Krach?

SCHÖNBRUNN: Herr Geheimrat, verzeihen Sie, dass ich bei Ihnen zu Haus erscheine. Aber in der Universitätsklinik hat man mich immer wieder abgewiesen. Und nur Sie können mir doch helfen, Herr Geheimrat. Sie müssen mir helfen.

KUBIN: Entschuldigen Sie, Chef, diese Person ist hier eingedrungen ...

BRUCH: Ich kenne dich doch.

SCHÖNBRUNN: Sie haben mich operiert. Vor einem Jahr. Genau vor vierzehn Monaten. Ich hatte in der rechten Brust eine Geschwulst, ein böses Gewächs. Und Sie haben mich wieder gesund gemacht. Sie haben das Böse weggeschnitten, und dann war alles wieder gut.

BRUCH: Karzinom in der rechten Brustdrüse. Ich erinnere mich.

SCHÖNBRUNN: Und alles war kostenlos für mich, auch die Operation, weil ich kein Geld habe.

BRUCH: Jaja, wenn man kein Geld hat, kommt man zum Chef. – Na, dann lassen Sie sie mal, Kubin. Ich werde schon mit der Kleinen einig.

Kubin tritt ab.

Gut siehst du aus. Bist du verheiratet? Du hast Kinder, nicht wahr?

SCHÖNBRUNN: Ich bin nicht verheiratet, aber ich habe eine kleine Tochter. Sie haben sie damals gesehen.

BRUCH: Eine Tochter, ja. Und ist sie immer noch so hübsch? So hübsch wie du?

SCHÖNBRUNN: Sie ist mein ganzes Glück.

BRUCH: Ja, dein Glück und dein Unglück. So ist das mit den Frauen. Die Kubin kann dir nachher ein paar Eier und ein Stück Speck für deine Kleine mitgeben. Und warum kommst du zu mir? Was sagtest du, wie heißt du?

SCHÖNBRUNN: Schönbrunn. Ingeborg Schönbrunn. Ich komme, weil mir wächst etwas, hier am Hals. Es ist schon so groß wie eine Haselnuss. Man kann es fühlen. Und es tut mir weh.

BRUCH: Zeig mal her. Na, ich seh schon. Das ist nichts weiter, nur ein kleines Gewächs. Das schneid ich dir weg. Und in einer Woche ist alles vergessen. Geh in meine Klinik, sag dem Oberarzt, dass ich dich morgen operiere. Die sollen dich gleich dabehalten und für morgen früh alles fertig machen. So, und nun geh. Oder du kannst mit mir fahren. Wenn der Wagen aus der Klinik kommt, nehme ich dich mit.

SCHÖNBRUNN: Ich war schon in Ihrer Klinik. Ich war schon oft in Ihrer Universitätsklinik. Man hat mich immer wieder abgewiesen. Man hat mir gesagt, Sie würden nicht mehr operieren. Sie seien schon zu alt, und Sie seien selbst krank. Man wollte mich dabehalten, aber ich will mich nur von Ihnen operieren lassen. Ich habe nur zu Ihnen Vertrauen.

BRUCH: Zu alt? Was redest du? Was fällt dir ein? Ich habe dir dein Leben gerettet, und da sagst du, ich sei zu alt. Ich sei krank.

SCHÖNBRUNN: Nein, Herr Geheimrat, das habe ich nie gesagt. In der Klinik hat man das gesagt. Ich habe das nicht einen Moment geglaubt.

BRUCH: In der Klinik? In welcher Klinik?

SCHÖNBRUNN: In Ihrer Klinik. In der Universitätsklinik.

BRUCH: In meiner Klinik hat man dir gesagt, ich sei …

SCHÖNBRUNN: Ja, Herr Geheimrat. Aber ich will mich nur von Ihnen operieren lassen. Sie sind ein so guter Mensch, und Sie sind der beste Chirurg. Nur zu Ihnen habe ich Vertrauen.

BRUCH: In meiner Klinik? In meiner Klinik hat man dir gesagt, ich sei zu alt? Ich sei krank?

SCHÖNBRUNN: Ja.

15

BRUCH: Wer? Wer hat das gesagt?

SCHÖNBRUNN: Die Ärzte, die Schwestern. Alle.

BRUCH: Wer?

KUBIN *tritt auf*: Was ist denn? Warum schreien Sie denn so?

BRUCH: Raus. Gehen Sie raus. – Wer hat es gesagt, Frau, wer?

SCHÖNBRUNN: Der Oberarzt selber. Aber ich habe es ihm nicht geglaubt. Ich kenne Sie doch.

BRUCH: Schlatter? Das hat Schlatter dir gesagt?

SCHÖNBRUNN: Ja.

KUBIN: Zu alt und zu krank, natürlich. Das wissen doch alle längst. Ich muss den Chef von früh bis abends betutteln. Würde glatt verhungern. Sehen Sie sich doch den Professor an.

BRUCH: Schlatter. Ich habe ihn aus dem Dreck aufgelesen. Was war er denn, ein Nichts. Ein Verbrecher war er. Obersturmbannführer war er, bei der Waffen-SS. Das stelle man sich vor, ein Chirurg als Obersturmbannführer. Die Russen hätten ihn ins Lager gesteckt, wenn ich nicht meine Hand über ihn gehalten hätte, diesen Verbrecher. Ich habe ihn vor dem Strick gerettet. Diese Banditen gehören aufgeknüpft, allesamt. Ein Chirurg als Obersturmbannführer. Und ich helf ihm noch vom Strick. Zu alt. Zu krank. Dieses Schwein. Zu krank. Sieh dir diese Hand an. Sag, ob sie zittert. Schneiden, nähen, meine Hand ist völlig ruhig. Dieser Idiot. Schlatter, diese Schlange. Eine Intrige, habe ich es nicht gesagt. Darum ruft mich die Klinik nicht an. Darum operiert man angeblich nicht. Schon seit zwei Tagen. Oder drei.

KUBIN: Ein halbes Jahr schon, Chef.

BRUCH: Schlatter. Meine Klinik. Meine Patienten. Eine Intrige. Aber nicht mit mir. Nicht mit mir. Ich geh zum Minister. Sofort. Und Schlatter kommt vor den Staatsanwalt. Dafür sorge ich, mein Früchtchen. *Zu Schönbrunn:* Und was willst du? Hat dich Schlatter geschickt?

SCHÖNBRUNN: Sie wollen mich operieren, Herr Geheimrat. Meinen Hals.

BRUCH: Ach, du bist das. Ich schneid dir das morgen weg. Geh in die Universitätsklinik, sag, dass ich dich geschickt habe. Sprich mit … Nein. Nein, das geht nicht. Du gehst nicht in meine Klinik. Ich mach dir das weg, aber nicht in meiner Klinik. Ich rede mit dem … Wie heißt der doch, der soll mir einen anderen OP besorgen, und dann schneid ich dir das weg. Weißt du, wenn wir Zeit hätten, dann könnte ich das in meiner eigenen Klinik machen. Man baut mir jetzt nämlich eine eigene Klinik, die Bruch-Klinik. Sie bekommt meinen Namen. Darauf lege ich keinen Wert, das ist mir ganz egal, aber die wollen das so haben, die wollen meinen Namen. Bruch-Klinik, na schön. Und ich bekomme die besten Ärzte, aus ganz Deutschland. Und da wird kein Schlatter dabei sein, das sag ich dir. Da ist alles bestens eingerichtet, und dort sind dann nur gute Leute. *Zu Kubin:* Rufen Sie den Sperling. Er soll sofort kommen.

KUBIN: Den Doktor Sperling muss ich nicht rufen. Der kommt alle naselang bei uns vorbei.

BRUCH: Ja, der Sperling, auf den kann ich mich verlassen. Der richtet mir meine Klinik ein. Aber so lange will ich bei dir nicht warten. Das machen wir gleich. Der Sperling soll mir für dich einen OP besorgen, und dann bringen wir das in Ordnung. Komm morgen zu mir.

SCHÖNBRUNN: Ich habe gewusst, dass Sie mir helfen. In der Universitätsklinik wollten sie mich nur nicht zu Ihnen lassen, weil ich kein Geld habe, weil ich nicht bezahlen kann. Aber ich wusste, dass Sie mir helfen.

BRUCH: Hör zu, ich brauche kein Geld. Wenn ich Geld brauche, dann schneide ich Fürsten und Könige und Industrielle auf. Aber arme Leute, die nichts zu beißen haben, da nehme ich kein Geld.

KUBIN: Ja, da nehmen wir kein Geld. Wir nehmen kein Geld.

BRUCH: Nun geh schon. – *Zu Kubin:* Geben Sie ihr ein paar Eier mit, Kubinchen. Und einen Apfel oder zwei.

KUBIN: Ich habe keine Eier im Haus.

BRUCH: Von Bruch geht keiner weg, ohne dass ihm geholfen wurde. So ein hübsches Mädchen.

KUBIN *zu Schönbrunn*: Nun kommen Sie schon.

Beide gehen ab.

BRUCH: Alt. Zu alt. Und zu krank. Was für eine Kanaille. Seltsame Idee. Bruch zu alt. Bruch krank. Ich bin Arzt, ich müsste es wissen. Vor allen anderen. Neid und Missgunst, das ist die Dankbarkeit dieser Parasiten. Die es nicht erwarten können, dass Bruch unter die Erde kommt. Hilf Kreaturen, und sie schneiden dir den Hals ab. Sie ertragen es nicht, mir dankbar zu sein. Dankbar sein zu müssen, weil sie mir verpflichtet sind.

Es klingelt.

Weil sie nichts wären ohne mich. Nichts ohne meine Hilfe. Schlatter, Schlatter. Will mich aus meiner Klinik jagen. O nein. Ich will den Minister sprechen. Er soll Schlatter aus meiner Klinik entfernen. Auf der Stelle. Umgehend. Das lasse ich nicht zu. Nicht in meiner Klinik. *Geht ab.*

KUBIN *tritt auf, nach ihr Sperling, der einen Karton mit*

Lebensmitteln trägt: Sie müssen doch nicht klingeln, Doktor Sperling, Sie gehören fast zur Familie. Kommen Sie nur einfach hereinspaziert. Und was Sie wieder alles für uns mitbringen. Geben Sie her, ich bringe es in die Küche. Was würden wir ohne Sie machen. Dem Chef geht es heute gar nicht gut. Er ist wieder tüchtig durcheinander.

Bruch tritt auf.

Da ist er schon, unser lieber Sperling. Man muss ihn gar nicht rufen. Und was er uns alles mitbringt, sehen Sie nur, Chef.

BRUCH: Gut, dass du kommst, mein Lieber. Du musst gleich für mich zum Minister gehen. Der muss den Schlatter aus meiner Klinik entfernen. Sofort. Oder ich werfe alles hin. Er oder ich. Schlatter oder Bruch, das musst du ihm klarmachen. Da muss sich der Minister entscheiden. Schlatter oder Bruch.

KUBIN: Der Minister hat Ihnen doch geschrieben, Chef. Sie haben seinen Brief gar nicht gelesen. Sie haben ihn nicht einmal geöffnet. *Sie hebt den Brief auf, legt ihn auf den Tisch und geht ab.*

BRUCH: Mach ihn auf, Sperling, lies ihn mir vor. Aber setz dich erst einmal hin. Du siehst schlecht aus. Überarbeite dich nicht. Wie geht es deiner Praxis?

SPERLING: Ich bin zufrieden, dass ich genug zu tun habe. In diesen Zeiten, da darf ich mich nicht beschweren. Es ist keine Klinik, aber ich habe auch nicht geglaubt, dass ich eines Tages wieder als praktischer Arzt arbeiten muss. Als Wald- und Wiesendoktor.

BRUCH: Das findet sich alles, Sperling. Wenn ich erst mein eigenes Krankenhaus habe, du wirst sehen, dann kommst du in meine Chirurgie zurück, dann fangen wir neu an. Wie steht es denn mit meiner Klinik? Wann beginnt denn der Umbau? Wenn ich da noch operieren soll, könnt ihr nicht so lange warten. Auch ein Bruch lebt nicht ewig, mein Lieber, auch ein Bruch nicht. Und eine Bruch-Klinik nach meinem Tod ist gut und schön, aber davon habe ich nichts mehr. Das ist dann nur noch so etwas wie ein Ritterkreuz. Und von solchen Ritterkreuzen habe ich mehr als genug. Eine ganze Schublade voll, von jeder Nation, aus jedem Land. Damit kann ich mich von oben bis unten behängen. Also, wie stehts?

SPERLING: Es geht voran, Chef.

BRUCH: Schön. Und wann ist sie fertig?

SPERLING: Ich hoffe, dass der Umbau bald beginnen kann. Ich habe jetzt endlich einen Geldgeber an der Hand, der durch und durch seriös ist. Der ist nicht so wie die Sombart-Leute.

BRUCH: Wer ist es?

SPERLING: Bankier Kippenberger.

BRUCH: Habe ich den mal operiert?

SPERLING: Ich weiß nicht.

BRUCH: Bankier Kippenberger, ich erinnere mich an einen Kippenberger. Das war die Darmfistel, nicht wahr? Das war noch in Zürich. Ist der das?

SPERLING: Ich weiß nicht.

BRUCH: Das wird er sein. Ich habe dir gleich gesagt, du sollst mit meinen Patienten sprechen. Ich hatte so viele Geldsäcke auf meinem Tisch, da wird sich doch einer unter ihnen finden, der uns ein bisschen Geld für eine Klinik vorstreckt. Eine Bruch-Klinik, das ist doch ein sicheres Geschäft. Das ist doch für so einen Krösus eine grandiose Geldanlage. Das habe ich dir doch gesagt.

SPERLING: Bankier Kippenberger war jedenfalls sehr angetan von dem Plan. Er möchte Sie sehen, Chef, er will Sie sprechen. Er wird uns das Geld zur Verfügung stellen, die gesamte Summe. Eine Bruch-Klinik mit Ihnen als Präsident, da war er sofort bereit, das Geld aufzubringen.

BRUCH: Das habe ich dir doch gesagt, Sperling. So ein Kerl kann doch rechnen. Der weiß doch, dass er mit meinem Namen ein gutes Geschäft macht. Und der hat nicht vergessen, dass ich ihm geholfen habe. Jetzt kümmerst du dich um die Kliniklizenz, und dann legst du los.

SPERLING: Auch das habe ich geregelt. Ich habe einen Kaufmann aufgetrieben, der bereits die Lizenz für eine Klinik besitzt. Er hat sie sich gleich nach Kriegsende besorgt. Ein Geschäftsmann, sehr gewitzt und umtriebig.

BRUCH: Schön. Wenn es hilft. Ich verlasse mich da auf dich.

SPERLING: Er wird uns von Nutzen sein. Er war es auch, der für mich die Verbindung zu Kippenberger arrangierte.

BRUCH: Ich kann mich nicht auch noch um all diese Dinge kümmern.

SPERLING: Er ist ein Filou, Chef, ein Geschäftsmann eben.

BRUCH: Schön. Aber ihr müsst euch beeilen. Wenn ihr noch etwas von mir lernen wollt, müsst ihr die Klinik rasch bauen.

SPERLING: Er will Sie sprechen. Manitlowski, das ist der Geschäftsmann, er möchte Sie sehen. Und er will mit Ihnen zu Kippenberger. Sie müssen ein paar Papiere unterzeichnen, dann wird Kippenberger das Geld bereitstellen. Und Sie wird er zum Präsidenten der Bruch-Klinik ernennen.

BRUCH: Präsident? Wer hat sich denn das ausgedacht? Ich

bin der Chef. Ganz einfach: der Chef. Da brauche ich keinen Titel.

SPERLING: Nur eine Formalität für die Behörden. Es muss doch alles seine Richtigkeit haben. Sie werden der Präsident sein, ich werde als Direktor eingesetzt.

BRUCH: Du? Ich bin der Direktor.

SPERLING: Natürlich, Chef. Das ist lediglich eine Formalität.

BRUCH: So? Da wirst du also Direktor von meiner Klinik?

SPERLING: Ja, das verlangt der Gesetzgeber. Die Lizenz ist an Auflagen gebunden. Sie werden der Präsident, ich der Direktor.

BRUCH: So? Seltsam. Hast du dir das ausgedacht, Sperling?

SPERLING: Nein. Natürlich nicht. Das verlangt die Kliniklizenz. – Soll ich den Brief öffnen?

BRUCH: Welchen Brief? Ja, lies ihn mir vor.

Sperling öffnet den Brief.

Ich will doch hören, was mir dieser Minister zu sagen hat. Er soll mir den Schlatter davonjagen.

SPERLING: Das Schreiben scheint sehr persönlich zu sein. Es ist vertraulich. Sie sollten es allein lesen.

BRUCH: Lies vor. Ich habe nichts Persönliches mit dem Minister. Kein Minister hat sich einem Bruch gegenüber Vertraulichkeiten herauszunehmen. Lies schon.

SPERLING *liest*: Hochverehrter Herr Geheimrat, meiner Einladung zu einem Gespräch in meinen Diensträumen haben Sie wiederholt nicht Folge leisten können, was ich überaus bedauere.

BRUCH: Ach. Ich werde den OP verlassen, um einen Büromenschen aufzusuchen, der nichts weiter zu tun hat, als zu schwätzen.

SPERLING *liest weiter*: Hochverehrter Herr Geheimrat, ich habe durch den Dekan der Medizinischen Fakultät erfahren, dass Sie von Ihrem Lehrstuhl und Ihrem Amt als Direktor der Chirurgischen Universitätsklinik zurücktreten wollen.

BRUCH: Was? Was?

SPERLING *liest weiter*: Ich bedaure Ihre Entscheidung außerordentlich, verliert doch die Universitätsklinik, die gesamte Universität, die Stadt und das gesamte Land einen der verdienstvollsten und überragendsten Mediziner und Lehrer.

BRUCH: Was sagt er? Was?

SPERLING *liest weiter*: Ich wünsche Ihnen Glück und Gesundheit und hoffe, dass Sie Ihren verdienten Ruhestand genießen können. Die notwendigen Formalitäten Ihrer Pensionierung wird mein Staatssekretär mit Ihnen besprechen. Zum Nachfolger im Amt des Direktors der Chirurgischen Universitätsklinik und zum neuen Lehrstuhlinhaber habe ich Ihren Schüler, Herrn Professor Doktor Schlatter, berufen.

BRUCH: Was wünscht der Flegel mir? Ruhestand? Ist er verrückt geworden? Haben wir einen verrückten Minister? Oder bist du verrückt? Das steht nicht in dem Brief. Das wagt er nicht. Du erlaubst dir Frechheiten, Sperling. Lies ihn vor. Lies jedes Wort und lass die Dollerei.

SPERLING: Das ist alles, Chef.

BRUCH: Das kann nicht sein. Ruhestand? Schlatter? Nein. Lies mir den Brief vor, Jöngken. Lies, was da steht. Lies vor. Lies.

SPERLING: Vielleicht ist der Brief ein Irrtum. Ein Versehen.

BRUCH: Ich will zurücktreten? Ist der Mann wahnsinnig? Lies.

SPERLING: Das ist alles.

BRUCH: Hast du denn schon gefrühstückt, Jöngken? Du bist ganz blass. Soll dir die Kubin etwas machen?

SPERLING: Nein, danke.

BRUCH: Ruhestand? Hast du von Ruhestand gesprochen? Wie alt bist du denn? Wieso willst du in den Ruhestand gehen? Sieh mich an. Ich bin ein paar Jahre älter als du und stehe jeden Tag im OP. Tag für Tag. Warum willst du aufhören? Als ich in deinem Alter war, habe ich überall in der Welt operiert. Da hatte ich den englischen König unter dem Messer. Hindenburg habe ich gerettet. Den König von Griechenland. Den türkischen Sultan. Seine Frauen. Und ich denke überhaupt nicht daran aufzuhören. Und da redest du vom Ruhestand. Schlaf dich aus und morgen ist das vergessen. Davon will ich nichts mehr hören. Du bist doch noch ein junger Kerl. Du hast doch noch gar nichts geleistet. Ist der Wagen da? Ich zieh mich an, und dann fahren wir in die Klinik, Jöngken. *Er geht ab.*

SPERLING: Chef, bitte. – Hallo! Frau Kubin! Bitte sehen Sie nach dem Chef. Ich fürchte, ich fürchte ... Frau Kubin!

BRUCH *tritt auf*: Man hat mich vor die Tür gesetzt, Sperling. Wie einen alten Hund. Ein Leben voller Arbeit, Verdienste, Ehrungen, der Dank meiner Patienten, zählt alles nicht mehr. Aber geh raus, frag irgendjemanden auf der Straße, geh, frag, ob er nicht weiß, wer Bruch ist. Ich will mit dir wetten ... Ach was. Was hilfts. Ich bin noch nicht tot. Ich bin nicht krank. Und ich bin nicht so alt. Wir wollen es ihnen zeigen, Sperling, nicht wahr. Die Bruch-Klinik, jetzt brauchen wir sie schnell. Beeil dich, Sperling, lauf los. Zum Bankier Kippenberger. Zu deinem Geschäftsmann, der die Lizenz hat. Sprich mit meinen alten Patienten. Sag ihnen, ich habe viel für sie getan, nun müssen sie für mich etwas tun. Geh, Jöngken.

SPERLING: Kann ich Sie allein lassen, Chef? Geht es Ihnen gut?

BRUCH: Was bekümmert dich? Der Brief? Zerreiß ihn. Schmeiß ihn weg. Wer braucht den Dummkopf? Ich bin Bruch, ich brauche keinen Staat, keinen Minister. Ich habe einen Kopf und zwei Hände, mit denen herrsche ich in meinem Reich. Da bin ich ihnen über. Allen. Wirf den Brief weg, ich werde ihn nicht beachten. Die Bruch-Klinik, das ist meine Antwort. Los, geh, hol den Bankier. Es soll die beste Klinik Deutschlands werden. Es darf an nichts gespart werden. Und rasch muss gebaut werden, rasch. Ich warte schon. Bruch wartet.

SPERLING: Gut, ich geh zu Kippenberger und melde mich, wenn ich ihn gesprochen habe. Ich kann Sie allein lassen, Chef?

BRUCH: Geh schon.

SPERLING: Dann geh ich jetzt. *Geht ab.*

BRUCH *hebt den Brief auf, liest ihn schweigend*: Seltsam. Der Titel Staatsrat fehlt. Er nennt mich nur Geheimrat. Das, zumindest das sollte der Undank wissen. Herr Staatsrat, Herr Geheimrat, Herr Professor, Herr Ritterkreuzträger, Herr Generalarzt, Herr Nationalpreisträger, Herr Professor Dr. Bruch, ich schmeiß Sie raus. So wäre es korrekt. – Kubin! Kubin!

KUBIN *tritt auf*: Ja, bitte.

BRUCH: Ich fahre heute nicht in die Universitätsklinik. Ich bleibe zu Hause. Wenn sich jemand von der Klinik meldet, oder ein Minister, ich bin nicht zu sprechen. Der Sperling, der kann kommen, den lassen Sie rein.

KUBIN: Warum soll denn jemand von der Klinik kommen?

Von denen haben wir doch schon ein halbes Jahr nichts
mehr gehört.

BRUCH: Ich gehe in mein Arbeitszimmer. Um eins esse ich
Mittag. Geht ab.

KUBIN: Um eins, natürlich, das weiß ich doch. Wir essen
immer um eins. Ich weiß nur nicht, von was ich was
kochen soll. Es ist kein Geld da. Aber das will er nicht
hören. Er hört es einfach nicht.

Die Diele der Bruchschen Villa wie im 1. Akt. Sperling.
Kubin.

SPERLING: Und wo ist der Chef? Spaziert er durch den
Park? Wieso ist er bei solchem Wetter nicht zu Hause?

KUBIN: Nein, er ist nicht im Park.

SPERLING: Wo ist er denn? Was haben Sie denn, Frau Kubin?

KUBIN: Er ist in die Klinik gefahren.

SPERLING: In welche Klinik?

KUBIN: In die Universitätsklinik.

SPERLING: Wohin?

KUBIN: Er hat heute Morgen ein Taxi gerufen und gesagt,
dass er operieren muss. Und dann ist er gegangen. Ich
konnte ihn nicht aufhalten. Den Chef kann keiner aufhalten, wenn er sich etwas in den Kopf gesetzt hat. Dabei hat er nicht einmal Geld für eine Taxe.

SPERLING: Aber er ist pensioniert.

KUBIN: Das ist er schon ein halbes Jahr lang. Seit einem
halben Jahr braucht ihn die Klinik nicht. Seit einem
halben Jahr hat er nicht mehr operiert. Und er bekommt auch kein Geld. Kein Gehalt und keine Pension. Und keine Honorare, weil er keine Privatpatienten mehr operieren kann.

SPERLING: Seit einem halben Jahr? Das versteh ich nicht.
Wieso seit einem halben Jahr?

KUBIN: Und er kümmert sich nicht um seine Pensionierung, das interessiert ihn nicht. Davon will er nichts
hören. Da hört er gar nicht zu.

SPERLING: Wieso weiß ich das nicht? Wie oft bin ich beim

Chef, nie hat er mir davon etwas gesagt. Ich denke, er ist erst seit gestern, erst seit diesem Brief im Ruhestand.

KUBIN: Wieso Sie das nicht wissen? Weil Sie es nicht wissen wollen. Ich habe es Ihnen immer wieder gesagt. Aber Sie waren wie vernagelt. Wie oft habe ich Ihnen gesagt, was in diesem Haus los ist. Aber da haben Sie so getan, als sei ich eine dumme Gans.

SPERLING: Ich bitte Sie, Frau Kubin.

KUBIN: Ich bin doch nicht blind und ich bin nicht taub. Sie glauben nur dem Chef. Die Klinik braucht ihn seit Monaten nicht mehr, hat ihn pensioniert. Das begreift er nicht. Und dann muss ich anrufen und nachfragen, und der Chef schreit mit mir herum, als ob ich daran schuld sei. Und heute ist er einfach mit einer Taxe in die Universitätsklinik gefahren.

SPERLING: Und Sie sagen, seit einem halben Jahr ... Darüber hat er nie ein Wort verloren.

KUBIN: Ja, wie denn. Er glaubts doch selbst nicht. Er wills nicht wahrhaben.

SPERLING: Davon wusste ich nichts.

KUBIN: So? Das wussten Sie nicht? Und dass der Chef überhaupt kein Geld mehr hat, dass ich seit Monaten kein Wirtschaftsgeld bekomme, das wissen Sie auch nicht?

SPERLING: Aber wieso?

KUBIN: Und warum bringen Sie uns dann immer etwas mit? Warum ziehen Sie sich denn den Mantel nicht aus, Herr Doktor? Weil es hier kalt ist. Weil ich kaum noch heize. Weil ich keine Kohlen mehr habe. Und das haben Sie alles nicht bemerkt?

SPERLING: Mein Gott, das wusste ich nicht. Bruch hat nie ein Wort darüber verloren. Keine Kohlen. In Bruchs

Villa keine Kohlen, wo leben wir denn. Der Krieg ist seit Jahren vorbei, da muss doch wieder geheizt werden können. Das wird sich ändern, Frau Kubin, das wird sich sehr bald ändern. Und dafür sorge ich. Das verspreche ich Ihnen.

KUBIN: Na, wie denn?

SPERLING: Das lassen Sie mal meine Sorge sein.

KUBIN: Wieder so ein Windei, wie?

SPERLING: Meine liebe Kubin, das lassen Sie getrost meine Sorge sein. Die Bruch-Klinik wird gebaut, dafür sorge ich. Und dann wird der Chef wieder arbeiten und Geld verdienen. Dann kann er so viel Geld verdienen, wie er will.

KUBIN: Und wann soll das sein? Haben Sie denn keine Augen im Kopf, Sperling? Der Chef kann doch gar nicht mehr operieren. Er ist doch ganz durcheinander, er ist verwirrt. Er braucht selber einen Arzt.

SPERLING: Unsinn. Jetzt reden Sie aber Unsinn. Sie sprechen über Dinge, die Sie, verzeihen Sie bitte, überhaupt nicht verstehen. Nun fangen Sie auch noch damit an.

KUBIN: Ach, ich verstehe es nicht.

SPERLING: Verzeihen Sie bitte, ich weiß, was der Chef Ihnen verdankt, Frau Kubin, aber schwatzen Sie doch nicht diesen Unsinn nach. Das sind Gemeinheiten, Intrigen der Klinik. Ich habe es selber erlebt, das wissen Sie. Ich wurde nach dem Krieg fast zum Verbrecher gemacht. Es fehlte nicht viel und ich hätte meine Approbation verloren. Sie haben es alles miterlebt, Kubin. Und jetzt will man den Chef loswerden und erfindet unsinnige Beschuldigungen.

KUBIN: Das hat überhaupt nichts mit Ihrer Sache zu tun, Sperling. Damals, das war die Nachkriegszeit, die Untersuchungen, diese ganzen Beschuldigungen und Prozesse.

Mit Ihnen, das war eine ganz andere Geschichte. Aber der Chef kann nicht mehr arbeiten. Er ist krank. Ich erlebe es jeden Tag.

SPERLING: Blödsinn. Ich spreche doch regelmäßig mit ihm. Der Chef ist im Vollbesitz seiner Kräfte. Bei einem so lebhaften und unermüdlich tätigen Mann ist es überhaupt nicht ungewöhnlich, dass sein Geist schweift. Und etwas eigen war er immer, das wissen Sie doch selbst. Er war immer etwas ungewöhnlich, von mir aus wunderlich.

KUBIN: Der Chef ist krank. Er ist senil und dement. Er ist alt und krank. Mein Gott, sehen Sie das nicht?

SPERLING: Er erscheint Ihnen verwirrt. Das heißt gar nichts. Beim Chef wehren sich Psyche und Physis gegen die beständige Überforderung und schaffen sich Freiräume. Dann wirkt er abwesend, verwirrt meinetwegen. Aber solche Übersprungreaktionen, wie ich es nennen will, sind geradezu ein Ausweis seiner Genialität.

KUBIN: Sie wollen nicht verstehen, Sperling. Sie wollen nicht wahrhaben, dass der Chef am Ende ist.

SPERLING: Meine liebe Kubin, Sie können einen Bruch nicht mit irgendeinem x-beliebigen Menschen vergleichen. Das ist lächerlich. Bruch, das ist eine Jahrhunderterscheinung. Bruch, den werden wir nie völlig begreifen.

KUBIN: Mein Gott, das weiß ich selbst. Ich habe lange genug mit ihm gearbeitet. Ich weiß, was er geleistet hat. Aber er ist nicht nur ein Genie, er ist auch ein alter Mann. Und Ihre Jahrhundertfigur will leider auch essen. Das ist mein Problem.

Es klingelt.

SPERLING: Das findet sich doch, das regelt sich. Das sind doch nur vorübergehende Schwierigkeiten. Trivial.

KUBIN: Sie reden wie der Chef. Sie sind wohl auch ein Genie?

Es klingelt lange.

SPERLING: Ich tu doch, was ich kann, für den Chef.

KUBIN: Ich muss die Tür öffnen, es klingelt. *Geht ab.*

SPERLING: Mach mir nicht schlapp, Alter. Ich habe alles auf dich gesetzt. Alles auf eine Karte.

MANITLOWSKI *tritt auf, nach ihm Kubin*: Wo ist denn der Geheimrat? Haben Sie mich denn nicht angemeldet, Doktorchen? Ist unser Singvogel ausgeflogen?

KUBIN: Ich weiß zwar nicht, wer Sie sind, aber der Herr Geheimrat ist in der Klinik.

MANITLOWSKI: Wir sind verabredet, gute Frau. Mein Name ist Manitlowski. Hat er Ihnen nichts gesagt? – Was ist, Doktor Sperling? Ich sage dringende Termine ab, um mich mit Bruch zu treffen, und das Vögelchen ist davongeflattert.

SPERLING: Ich weiß nicht, wo er ist. Ich hatte uns angekündigt, ich weiß nicht …

KUBIN: Der Herr Geheimrat ist in der Universitätsklinik, das sagte ich bereits.

SPERLING: Er ist nicht in der Klinik. Dort kann er gar nicht sein. Das wissen Sie doch, Frau Kubin.

MANITLOWSKI: Hat es Sinn zu warten?

SPERLING: Ich weiß nicht. Ich weiß nicht, wo er steckt.

KUBIN: Und hier können Sie nicht auf ihn warten.

MANITLOWSKI: Mein Gott, ist das hier kalt. Haben Sie überhaupt geheizt?

KUBIN: Wir haben es gern kühl.

MANITLOWSKI: An sich ein hübsches Häuschen. Gefällt mir. Liegt ganz ideal. Ein Park, dort hinten der See, schöne Aussicht. Könnte mir gefallen. *Er setzt sich.*

KUBIN: Ja, wo sind wir denn hier? Was machen Sie denn da? Sie sind hier nicht zu Hause. Da hört sich doch alles auf. Sie können hier nicht bleiben.

MANITLOWSKI: Wer sind Sie denn? Seine Haushälterin? Passen Sie mal auf: Sie bringen uns beiden einen Kaffee und heizen hier mal richtig ein. – *Zu Sperling:* Und dann wollen wir sehen, ob der alte Bruch nicht bald erscheint. Er will schließlich was von mir. – *Zu Kubin:* Haben Sie verstanden?

SPERLING: Frau Kubin, wir müssen auf den Chef warten.

KUBIN: Ich weiß nicht, ob das dem Geheimrat recht ist, Herr Doktor Sperling. *Geht ab.*

SPERLING: Wollen wir wirklich auf ihn warten? Ich ahne nicht, wo er ist.

MANITLOWSKI: Wir werden sehen, Doktorchen. Kennen Sie sich hier aus? Der Geheimrat muss doch irgendwo die Unterlagen seiner alten Patienten haben. Der Privatpatienten, verstehen Sie. Die würde ich mir gern mal ansehen. Vielleicht lässt sich da etwas machen.

SPERLING: Was wollen Sie denn mit diesen alten Geschichten?

MANITLOWSKI: Sind die Unterlagen hier? Ich möchte nur einen Blick darauf werfen. Unter seinen Privatpatienten müssen doch schwerreiche Burschen sein.

SPERLING: Sicher. Aber die wirklich reichen Patienten, das war alles vor dem Krieg. Nach dem Zusammenbruch und der Währungsreform, da war nicht mehr viel. Das ist das allgemeine Elend. Mit großen Rechnungen darf keiner mehr kommen, selbst der Chef nicht.

MANITLOWSKI: Wir zwei könnten doch mal die Namen durchsehen.

SPERLING: Was suchen Sie denn?

MANITLOWSKI: Vielleicht finden wir noch den einen oder

anderen dankbaren alten Knaben, der nicht alles verloren hat. Wo hat er die Akten?

SPERLING: Was ist denn mit Kippenberger? Haben Sie den Bankier nicht gesprochen?

MANITLOWSKI: Ach der. Heute Morgen. Heute Morgen war ich bei ihm.

SPERLING: Und?

MANITLOWSKI: Ja, was soll ich da sagen.

SPERLING: Ist alles in Ordnung?

MANITLOWSKI: Es sieht nicht ganz so gut aus, wie ich gehofft hatte.

SPERLING: Ich denke, es war alles sicher? Alles bereits geklärt?

MANITLOWSKI: Ja.

SPERLING: So habe ich es dem Geheimrat berichtet.

MANITLOWSKI: Natürlich. Es war alles geklärt.

SPERLING: Sie haben gesagt, es sei nur noch eine Formsache.

MANITLOWSKI: So war es auch. Nur eine Formsache.

SPERLING: Dann ist alles klar?

MANITLOWSKI: Wie soll ich Ihnen das erklären, Doktorchen? Die Form ist geplatzt. Kann passieren.

SPERLING: Geplatzt?

MANITLOWSKI: Was hat der Kippenberger eigentlich vor dem Zusammenbruch gemacht? War der Faschist?

SPERLING: Er wird versucht haben, seine Bank durchzubringen. Er hat gemacht, was wir alle gemacht haben: sich irgendwie durchschlagen.

MANITLOWSKI: Ich weiß nicht, ich habe das Gefühl, er war ein Faschist. Als ich ihm erzählte, dass meine Eltern im Exil waren, dass ich in der Sowjetunion studiert habe, hat er merkwürdig reagiert.

SPERLING: Was hat das mit der Klinik zu tun?

MANITLOWSKI: Ich hätte Lust, da mal nachzuforschen.

SPERLING: Was heißt das, es ist geplatzt?

MANITLOWSKI: Es ist dumm gelaufen. Ich habe mit Kippenberger nicht den richtigen Draht gefunden, verstehen Sie. Wahrscheinlich war er Faschist. Wie auch immer, die Chemie zwischen uns stimmte nicht. Und das ist in der Geschäftswelt das A und O. Wenn die Chemie zwischen zwei Leuten nicht stimmt, dann muss man sich zurückziehen. Das bringt nichts, da fehlt das Vertrauen.

SPERLING: Was ist denn passiert?

MANITLOWSKI: Wir müssen anders disponieren.

SPERLING: Sie können mich nicht im Regen stehen lassen. Ich habe Bruch versprochen …

MANITLOWSKI: Regen Sie sich nicht auf. Das bringe ich alles in Ordnung.

SPERLING: Ich habe mein ganzes Vermögen in das Projekt gesteckt.

MANITLOWSKI: Mein lieber Sperling, Sie werden keinen Pfennig verlieren. Im Gegenteil, ganz im Gegenteil. Sie haben mein Wort.

SPERLING: Was ist denn passiert? Warum will Kippenberger plötzlich nicht mehr?

MANITLOWSKI: Es ist irgendwie dumm gelaufen. Das passiert halt. Damit muss man rechnen. Anfangs war alles bestens. Ich plauderte etwas über Davos, weil ich gehört hatte, dass er regelmäßig dorthin fährt. Ich erzähle ihm, wen ich dort kenne, welche Projekte ich dort realisiert habe. Er hört mir interessiert zu, lässt mich reden und reden. Plötzlich fragt er mich, ob ich die Baronin Falckenhausen kenne. Natürlich, sage ich, gute Bekannte von mir. Hab ihr eine prächtige Villa verkauft. Er sagt, sie sei seine Schwester. Nun, das konnte ich nicht wissen, Doktorchen. Da war das Kind im Brunnen. – Kann die Frau nicht mal heizen?

SPERLING: Ich versteh kein Wort.

MANITLOWSKI: Ich habe der Falckenhausen eine Immobilie verkauft. Aber ich hatte ihr abgeraten. Ich hatte ihr gesagt, Haus und Grundstück sind völlig überteuert, doch sie ließ nicht mit sich reden. Sie wollte es haben, war ganz närrisch. Und gezwungen habe ich sie nicht. Wie gesagt, leicht überteuert, da hat sie sich wohl ein bisschen übernommen. War einfach eine Nummer zu groß für sie. Aber zu der Unterschrift habe ich sie nicht gezwungen. Im Gegenteil, ich hatte sie gewarnt. Das habe ich Kippenberger gesagt.

SPERLING: Ja, und? Und was?

MANITLOWSKI: Er hat mich rausgeworfen. Vielleicht war das besser so. Der Mann ist für uns nicht geeignet. Der hat die Mentalität eines Kassenbeamten, aber nichts von einem Bankier. So etwas nimmt man doch nicht persönlich. So was muss man wegstecken können. Bei Geschäften geht es nun einmal hoch und einmal runter.

SPERLING: Und was soll ich jetzt machen? Was wird mit der Klinik?

MANITLOWSKI: Mein lieber Doktor Sperling, ich bin dafür, dass wir die Verhandlungen mit Kippenberger abbrechen. Der Mann ist eher was für Sparer und Kleinanleger. Und dann seine zwielichtige Vergangenheit, da bekommen wir vielleicht noch seinetwegen Probleme an den Hals. Nein, wir brauchen einen Mann mit Visionen, zukunftsorientiert, großzügig. Die Klinik soll ein Jahrhundertwerk werden, amerikanisch, was soll uns da ein Pfennigfuchser.

SPERLING: Sie hatten versprochen …

MANITLOWSKI: Ja. Und was Manni verspricht, hält er. Aber den Kippenberger, den lassen wir fallen. Ich denke, wir sollten uns da andere Quellen erschließen.

Sperling: Und ich? Ich habe mein gesamtes Geld bei Ihnen ...

Manitlowski: Das ist gut angelegt, Doktor. Machen Sie sich keine Sorgen. Lassen Sie uns mal die Kartei vom Geheimrat durchgehen, die Patientenlisten. Ich habs im Urin, da finden wir etwas. Da stoßen wir auf eine Goldader.

Sperling: Lieber Herr Manitlowski, ich habe Ihnen vertraut. Ich habe mich von Ihnen überreden lassen. Ich hoffe, Sie wissen, was Sie tun, Herr Manitlowski.

Manitlowski: Warum plötzlich so förmlich, Sperling? Manni reicht. Ich bin für alle Welt einfach der Manni.

Sperling: Mein gesamtes Geld! Und ich habe den Chef überredet, um seinen Namen für unsere Klinik zu bekommen. Ich warne Sie.

Manitlowski: Doktor, nun bleiben Sie mal auf dem Teppich. Der Bankier macht Schwierigkeiten, wir lassen ihn fallen. Aber da fällt uns doch nicht der Himmel auf den Kopf.

Sperling: Ich bitte Sie. Spielen Sie nicht mit mir.

Manitlowski: Mein Gott, Sie zeigen Nerven. Seien Sie unbesorgt. Ich treibe das nötige Kleingeld für uns schon auf. Das Geld ist vorhanden, wir müssen es nur aufspüren und aktivieren. Wir müssen das scheue Reh aus dem Wald locken, es anfüttern und dann für uns einspannen. Fangen wir gleich an. Wo hat der alte Bruch seine Unterlagen? Sie sind doch mit ihm vertraut, Sie kennen sich doch hier aus.

Sperling: Das ist unmöglich. Wie stellen Sie sich das vor. Wir können nicht in seinen Papieren herumkramen.

Manitlowski: Warum einfach, wenns auch umständlich geht, was? Dann warten wir eben. Ich verliere ungern

Zeit. Ist auch in Ihrem Interesse. Warum bringt uns die Frau keinen Kaffee? Reden Sie mit ihr.

SPERLING: Machen Sie mich nicht unglücklich, Manni. Meine ganze Zukunft steht auf dem Spiel. Ich will die Klinik, ich brauche die Klinik.

MANITLOWSKI: Und Sie bekommen sie. Dafür stehe ich ein. Dafür bin ich schließlich da. Mein Gott, haben Sie kein Vertrauen? – Ist das kalt.

SPERLING: Ich glaube, er kommt. Er ist zurück.

MANITLOWSKI: Der Geheimrat?

Bruch tritt auf, nach ihm Kubin.

KUBIN: Da ist der Herr. Ich konnte ihn nicht abweisen.

BRUCH: Sie können gehen. Es ist alles in Ordnung.

Kubin ab.

Schön, dass du da bist, Sperling. Geh mal vor die Tür und bezahl die Taxe. Ich hatte nichts bei mir. Und gib ihm ein Trinkgeld. Der Mann hat mich den ganzen Tag herumgefahren und muss seine Familie ernähren. Gib ihm einen Schein extra. – Wer bist du?

SPERLING: Das ist der Herr Manitlowski. Ich habe Ihnen doch von Herrn Manitlowski erzählt.

BRUCH: Ach, du bist das. – Nun geh und bezahl das Taxi.

Sperling geht ab.

Kalt. Es ist kalt draußen. Aber hier ist es auch nicht warm. Also du bist das, der mit der Klinik? Der Sperling hat mir von dir erzählt. Du baust mir die Klinik?

MANITLOWSKI: Ich freue mich, Sie kennenzulernen, Herr Geheimrat. Ich bin geehrt. Ich bewundere Sie seit langem. Schon immer. In meinem Elternhaus wurde von Ihnen wie von einem Gott gesprochen.

BRUCH: Bist du Arzt?

MANITLOWSKI: Nein. Geschäftsmann. Eigentlich habe ich Mathematik studiert, aber dann kam der Krieg, ich musste abbrechen. Und nach dem Krieg musste ich rasch Geld verdienen. Na, Sie verstehen schon. Nun mach ich in Immobilien.

BRUCH: Geschäftsmann? Das muss auch sein. Wie alt bist du denn?

MANITLOWSKI: Zweiunddreißig.

BRUCH: Zweiunddreißig? Na, da war ich schon berühmt. Weltberühmt. Da wurde bereits in ganz Europa nach Bruchschen Methoden operiert. Intrathorakale Eingriffe, das bin ich. Weißt du, was eine Unterdruckkammer ist? Eine pneumatische Unterdruckkammer?

MANITLOWSKI: Ich glaube, ich habe davon gehört.

BRUCH: Du glaubst? Gehört? Du bist kein Chirurg. Ein Geschäftsmann, sagst du. Na, das muss es wohl auch geben.

MANITLOWSKI: Herr Geheimrat …

BRUCH: Nenn mich nicht dauernd Geheimrat. Ich bin der Chef, das reicht.

MANITLOWSKI: Chef, ich komme wegen der Klinik. Wegen der Bruch-Klinik.

BRUCH: Ach, der bist du. Das ist eine gute Idee, mein Lieber. In Deutschland fehlt so ein Haus. Weißt du, so etwas wie die Mayo-Klinik in Amerika. Bei uns ist alles zu veraltet. Wir haben heute ganz andere Apparate, da brauchen wir andere OPs. Größer und praktischer. Bei uns ist das alles noch zu klein. Das ist voriges Jahrhundert. Und die Häuser stammen auch alle aus dem vorigen Jahrhundert. Die Amerikaner wissen Bescheid, die haben rasch reagiert. Und du traust dir zu, eine solche Mayo-Klinik zu bauen?

MANITLOWSKI: Die Bruch-Klinik, ja.

BRUCH: Doll. Sehr schön.

Sperling tritt auf.

Der Junge scheint begabt zu sein. Da hast du einen guten Griff getan, Sperling. – Und du hast eine Lizenz für eine Klinik?

MANITLOWSKI: Ja, Chef.

BRUCH: Wie geht denn das? Du bist kein Mediziner, wie kann man dir eine Kliniklizenz geben?

MANITLOWSKI: Ich will die Klinik nicht leiten, ich werde sie nur bauen und betreiben.

BRUCH: Seltsam. Seit wir den Krieg verloren haben, geht alles drunter und drüber. Heißt das, jeder, der Geld hat, kann heutzutage die Lizenz für eine Klinik bekommen.

MANITLOWSKI: Er kann sie beantragen. Ob er sie bekommt, ist eine andere Frage. Da braucht man mehr als Geld. Beziehungen, Chef.

BRUCH: Und die hast du?

MANITLOWSKI: Die habe ich. Die habe ich reichlich. Deutsche Behörden, amerikanische, russische, für Manni kein Problem. Wenn der Wagen rollen soll, muss man ihn schmieren. Sehen Sie, das ist das kleine kostbare Dokument. *Er zieht ein Papier aus der Tasche.* Ich habe es zufällig bei mir, weil ich heute ein Gespräch mit einem Bankier hatte.

BRUCH: Zeig her. Das will ich mir einmal ansehen. – Scheint ein aufgewecktes Kerlchen zu sein, was du mir da ins Haus geschleppt hast.

SPERLING: Ja. Das hoffe ich. Das hoffe ich sehr.

MANITLOWSKI: Sie werden bald in Ihrer eigenen Klinik operieren können, Chef.

BRUCH: Wenn ihr bei mir noch etwas lernen wollt, dann

müsst ihr euch beeilen. Wie lange brauchst du denn für diese Klinik? Wann ist sie denn fertig?

Manitlowski: Es ist alles auf dem Wege. Ich habe ein geeignetes Haus, und ich will bereits in einem Monat mit den vorbereitenden Bauarbeiten beginnen. Ich habe einen guten Architekten an der Hand. Sie sollten mal einen Blick auf seine Zeichnungen werfen, Chef, schließlich soll alles zu Ihrer Zufriedenheit werden.

Bruch: Doll. Wo sind die Pläne? Wo ist der Architekt? – So muss man das anfassen, Sperling. Das hat doch alles Hand und Fuß. Das ist nicht nur heiße Luft. Er gefällt mir, dieser Herr –

Manitlowski: Manitlowski. Aber nennen Sie mich nur Manni. Alle Welt kennt mich nur als Manni.

Bruch: Schön. Und du hast ein Haus für uns? Das will ich mir erst ansehen. Das ist besser, als wenn ich mir Zeichnungen ansehe. Von Zeichnungen verstehe ich nichts. Wir sehen uns das Haus an, und ich sage dir, was du machen musst. Wo ist es denn, wo kommt die Bruch-Klinik hin?

Manitlowski: Es handelt sich um eine Immobilie in der Kronprinzenallee.

Bruch: Kronprinzenallee, die kenne ich.

Manitlowski: Es ist das alte Cordula-Palais.

Bruch: Das Cordula-Palais? Ist das denn groß genug für so eine Klinik?

Sperling: Das ist eine Ruine. Ich kenne das Haus. Das obere Stockwerk ist völlig ausgebrannt. Da fehlt das gesamte Dach.

Manitlowski: Genau, und darum will ich es. Das ist der Vorteil. Darum habe ich sofort zugeschlagen. Bei dem gegenwärtigen Zustand bekomme ich völlige Baufreiheit. Der Dezernent hat es bereits garantiert. Keinerlei

Auflagen, kein Denkmalschutz. Im Gegenteil. Die Stadt ist an einem Wiederaufbau und an einer Nutzung interessiert. Ich habe vom Baudezernenten die Zusage. Man wird sich großzügig zeigen.

BRUCH: Schön. Sehr schön. Das machst du ganz richtig.

SPERLING: Aber das ist eine Ruine. Das dauert doch Jahre, bis das Haus zu einer funktionierenden Klinik umgebaut ist.

BRUCH: Lass mal, Sperling. Der Mann versteht sein Handwerk. Der macht das schon.

SPERLING: Chef, das ist ein Trümmergrundstück. Das wird ein Vermögen kosten. Und es wird Jahre dauern.

MANITLOWSKI: Ja, das muss im großen Stil angegangen werden. Konzentriert und mit allen Kräften. Da darf man nicht anfangen zu sparen. Da ziehe ich alles zusammen, Statiker, Bauingenieure, Maurer, Zimmerleute, alle Gewerke, alles was man braucht, und nur die besten Leute. Das hat die Stadt noch nicht gesehen, wie dort gebaut werden wird. Der Architekt war hingerissen. Er hat mir noch in der Nacht eine erste Faustskizze gemacht. Fabelhaft, sag ich Ihnen, Chef. Das ist ein Mann, der noch Visionen hat.

SPERLING: Und was soll das kosten? Wer soll das bezahlen?

BRUCH: Sperling, nun lass mal. Der Mann versteht doch was davon. Der wird das alles richten. Und bezahlen wird es der Bankier, dieser Kippenberger. Den habe ich operiert, das ist einer meiner Patienten. Der bezahlt das.

MANITLOWSKI: Chef, nein, den Kippenberger nicht. Ich will den Mann nicht im Gespann haben. Der ist nicht ausreichend solvent. Ist für uns zu klein, verstehen Sie. Ich brauche eine ganz andere Finanzierung. National, vielleicht auch europäisch.

BRUCH: Doll.

MANITLOWSKI: Schließlich soll das Ganze amerikanische Dimensionen bekommen, da müssen wir groß denken. Da ist so ein Provinzbankier überfordert. Da kann es uns passieren, dass er sich eines Tages meldet, weil er am Ende ist, weil er sich übernommen hat. Und was dann? Dann stehen wir im Regen. Nein, wir brauchen jemanden, der bereit und fähig ist, einen solchen Bau bis zum Ende durchzustehen. Diese Klinik muss ein Jahrhundertbau werden. Die Bruch-Klinik wird ein nationales Monument.

BRUCH: Na, nun übertreib nicht. Bleib auf dem Teppich, Jöngken. – Der Kerl ist goldrichtig. Den brauchen wir. Auf den kannst du dich verlassen. Mit dem bekommen wir unsere Klinik.

SPERLING: Und wer soll das bezahlen? Kippenberger zahlt nicht. Also sagen Sie, wer soll diese schönen Ideen bezahlen?

BRUCH: Sei nicht so ängstlich, Sperling. Du hörst doch, das erledigt der Mann. – Na, sag mal, wer bezahlt das?

MANITLOWSKI: Vorstellbar wäre eine Aktiengesellschaft. Eine Bruch-Klinik, das ist eine glänzende Anlage, aber da reden zu viele mit. Das beschränkt letztlich unsere Selbständigkeit, macht uns zu abhängig. Ich ziehe privates Geld vor. Da gibt es inzwischen wieder genug, das nur darauf wartet, aktiv zu werden.

BRUCH: Wenn du meinst. Davon weiß ich nichts, davon verstehe ich nichts. Darum habe ich mich nie gekümmert.

SPERLING: Wir sollten uns das Ganze noch einmal überlegen. Vielleicht finden wir eine andere Lösung. Sie können doch in jeder Klinik der Welt arbeiten. Wir sollten uns nicht auf ein solches Wagnis einlassen.

BRUCH: Nein. Nie wieder. Einen Bruch wird nie wieder einer vor die Tür setzen. Nie wieder. Das ist vorbei,

Sperling. Jetzt will ich meine eigene Klinik. – *Zu Manitlowski:* Lass hören. Red weiter.

MANITLOWSKI: Natürlich brauchen Sie eine eigene Klinik. Sie hätten sie schon vor Jahren, vor Jahrzehnten haben sollen. Also, ich dachte mir, wir sprechen ein paar Ihrer früheren Patienten an. Irgendwelche Industrielle vielleicht. Da waren doch gewiss ein paar betuchte Knaben dabei. Wir sollten ihnen die Chance geben, sich an der Bruch-Klinik zu beteiligen. Für die wird es eine Ehre sein, Ihnen eine Klinik zu bauen. Die werden sich darum reißen. Ist schließlich kein schlechtes Geschäft. Am besten, ich sehe mir mal Ihre Unterlagen durch. Sie hatten doch bedeutende Patienten.

BRUCH: Das möchte ich meinen. Ich habe mit Königen diniert, mit gekrönten Häuptern. Mit dem türkischen Sultan, mit dem König von England, mit dem deutschen, mit Generälen, was weiß ich, denen habe ich allen geholfen. Könige, Prinzen, was du nur willst. Auch Hindenburg habe ich operiert.

MANITLOWSKI: Hindenburg, na das ist lange her. Das nützt uns nichts. Ich dachte eher an Wirtschaftsleute, denen Sie geholfen und die nicht alles im Krieg verloren haben.

BRUCH: Woher soll ich das wissen? Weißt du, Jöngken, wenn die auf meinem Tisch liegen, da sind das keine Wirtschaftsmänner mehr, da sind sie nur noch ein ängstliches Stück Fleisch.

MANITLOWSKI: Wenn Sie sich nicht erinnern, vielleicht geben Sie mir mal die Kartei Ihrer Privatpatienten. Ich bin sicher, ich finde da unsere Leute.

SPERLING: Schlagen Sie sich das aus dem Kopf, Manni. Das ist mit der Standeswürde unvereinbar. Patienten anbetteln, wo denken Sie hin.

Manitlowski: Wieso anbetteln? Sie bekommen eine Vorzugsbehandlung. Sie hatten das Glück, vom Chef persönlich operiert zu werden, und nun bietet sich ihnen eine neue Glückschance: sie können mit der Bruch-Klinik ein Vermögen verdienen. Wir betteln nicht, wir beschenken sie.

Sperling: Ausgeschlossen. Das sind Hirngespinste. Wenn davon auch nur ein Wort bekannt wird …

Bruch: Nun lass mal, Sperling. Lass doch dat Jöngken mal machen. Ihr beide könnt die Akten durchsehen. Die stehen irgendwo oben. Die Kubin weiß Bescheid, die kann es euch zeigen. Und dann will ich mir das Gebäude anschauen, das Palais, das du für unsere Klinik ausgesucht hast. Ich will das zuvor sehen.

Manitlowski: Jederzeit, Chef. Wann Sie wollen, Chef. Von mir aus sofort.

Bruch: Heute geht es nicht mehr. Jetzt bin ich müde. Sehen wir uns die Klinik morgen an.

Manitlowski: Einverstanden, morgen. Ich hole Sie ab. Morgen Abend um acht. Dann können wir uns das Haus in aller Ruhe ansehen.

Bruch: Mach das. Morgen Abend also.

Sperling: Warum denn am Abend? Da sieht man doch nichts.

Manitlowski: Ich will nicht, dass irgendetwas bekannt wird, bevor wir das Grundstück gekauft haben. Überlegen Sie doch, Doktor, wenn wir dort mit dem Geheimrat am hellerlichten Tag erscheinen, kann sich jeder einen Reim darauf machen, was wir vorhaben. Dann geht der Preis im Handumdrehen nach oben, und wir müssen das Doppelte, das Dreifache für das alte Palais hinlegen. Vorerst darf keiner von unserem Unternehmen Wind bekommen.

BRUCH: Das ist ein gerissener Kerl. Ist ein Hund. Doll, was du mir da ins Haus geschleppt hast, Sperling. Der macht das goldrichtig. Und nun lasst mich allein. Ich bin müde. Den ganzen Tag in der Klinik, das ist anstrengend.

SPERLING: Warum waren Sie in der Klinik, Chef?

BRUCH: Warum ich in der Klinik war? Du fragst mich, warum ich in der Klinik war? Na, hör mal, ich habe mein ganzes Leben in der Klinik verbracht. Da fragt mich dieser Schafskopf, was ich in der Klinik zu tun habe. Und du willst ein Chirurg sein?

SPERLING: Aber, Chef, Sie sind im Ruhestand. Sie haben doch gestern den Brief erhalten, die Pensionierung.

BRUCH: Was sagst du? Ach so. Pensionierung. Bruch ist im Ruhestand, kannst du dir das vorstellen, Jöngken? – Ich werde dir sagen, warum ich heute in der Klinik war. Ich bin direkt in den OP hineinmarschiert und habe mir Schlatter gegriffen. Und dann habe ich gekündigt. Vor dem versammelten Personal habe ich gekündigt. Bruch lässt sich nicht in den Ruhestand schicken. Nicht von einer Ratte wie Schlatter. Nicht von einem Idioten wie dem Minister. Ich habe gekündigt. Und ihre Pension, die sollen sie sich sonst wohin stecken. Die benötige ich nicht. Ein Bruch braucht keine Almosen. Und dann habe ich mich umgedreht und bin gegangen. Auf dem Fuß umgedreht. Und jetzt geht es mir wieder gut. Jetzt geht es mir glänzend. Ich könnte Bäume ausreißen. – Bau mir die Klinik, Jöngken. Bruch wird es ihnen zeigen.

SPERLING: Sie können nicht auf Ihre Pension verzichten. Sie haben einen Anspruch darauf, und Sie brauchen das Geld.

BRUCH: Von diesen Kanaillen nehme ich kein Geld. Nicht einen Pfennig. Das hat ein Bruch nicht nötig.

SPERLING: Chef, das ist unmöglich …

BRUCH: So, und nun geht. Schaut euch die Akten an. Da findet ihr die richtigen Leute. Geht jetzt. Ich bin erschöpft, ich bin müde. Ich muss mich hinlegen.

MANITLOWSKI: Bis morgen, Chef. Morgen Abend um acht hole ich Sie ab. Dann besichtigen wir die Bruch-Klinik. *Geht mit Sperling ab.*

BRUCH *zieht sich aus bis auf die Unterwäsche, legt sich auf das Sofa*: Ruhestand. Das wollen wir doch sehen. Ich werde ihnen mit einer eigenen Klinik antworten. Dann können sie einpacken. Dann können sie selber in den Ruhestand gehen. Alle. Alle. Schlatter, der Minister, alle.

KUBIN *tritt auf*: Entschuldigen Sie, aber ist das richtig? Dürfen die beiden Herren in Ihrem Arbeitszimmer herumwühlen?

BRUCH: Das hat seine Richtigkeit. Geben Sie ihnen, was die beiden brauchen.

KUBIN: Naja, wenn das in Ordnung gehen soll, sage ich gar nichts mehr. Kommen Sie, Chef, ich bringe Sie ins Schlafzimmer hoch. Hier liegen Sie viel zu unbequem.

BRUCH: Ach was. Ich schlafe überall gut.

KUBIN: Kommen Sie. Die paar Schritte schaffen wir doch. *Sie hilft ihm hoch.*

BRUCH: Jetzt habe ich bald meine eigene Klinik. Dann werden wir loslegen, Kubinchen.

KUBIN: Ja, Chef.

BRUCH: Und Sie kommen wieder mit in den OP. Eine bessere Schwester hatte ich nie.

KUBIN: Nein, Chef, ich bin zu alt. Sollen die Jungen jetzt zeigen, was sie können.

BRUCH: Zu alt, ach was. Ich sage Ihnen, Kubin, die Jungen taugen alle nichts. Die können nichts. Denen müssen wir noch viel beibringen.

KUBIN: Aber jetzt gehen wir schlafen.

BRUCH: Wissen Sie noch, wie wir beide in Breslau den Darmdurchbruch machten. Nur wir zwei. Kein Anästhesist, keine weitere Schwester, nur wir allein.

KUBIN: Ja, gewiss, aber das war ein Notfall. Da haben wir Blut und Wasser geschwitzt. Und wir waren jung.

BRUCH: Das schaffe ich noch immer. Wir beide, Kubinchen, schaffen das heute noch. Ich hätte Sie heiraten sollen.

KUBIN: Gehen Sie mir damit, Chef. Sie hatten die wundervollste Frau der Welt. Gloria war eine Schönheit. Und so ein prachtvoller Mensch. Sie war bezaubernd. Sie hat uns alle bezaubert, Chef. Wir haben sie alle geliebt.

BRUCH: Ja, bezaubernd, das war sie. Aber fortwährend war sie unterwegs, immerzu auf Reisen.

KUBIN: Sie hatten doch nie für sie Zeit. Ihnen war es doch ganz recht, wenn Gloria verreiste und Sie Tag und Nacht in der Klinik bleiben konnten. Kommen Sie, jetzt noch die Treppe rauf. So, nun noch die paar Stufen.

Sie geht mit Bruch ab; dann treten Sperling und Manitlowski mit Aktenbündeln auf.

SPERLING: Das sind die Akten aus Zürich. Hier ist Breslau. Das ist Frankfurt. Und hier, das ist Berlin. Kommen Sie damit allein zurecht, Manni?

MANITLOWSKI: Lassen Sie mich nur suchen. Ich werde schon eine Goldader finden. *Blättert und liest in den Akten.*

SPERLING: Sie hatten gesagt, Sie haben das Geld. Sie hatten es mir fest zugesagt, und nun machen Sie solche Geschichten.

MANITLOWSKI: Sperling, wollen Sie die Klinik oder nicht? Wollen Sie Chefarzt werden oder habe ich Sie falsch verstanden? Sagen Sie es mir.

Kubin *tritt auf*: Was machen Sie hier?

Sperling: Herr Manitlowski sieht noch die Unterlagen durch.

Kubin: Der Herr bleibt hier?

Sperling: Ich darf mich schon verabschieden. Grüßen Sie den Chef. *Geht ab.*

Manitlowski *blättert und liest weiter in den Akten*: Beeindruckend. Das war ein großer Mann, der Geheimrat.

Kubin: Was dachten Sie denn?

Manitlowski: Es ist kalt. Können Sie nicht etwas heizen?

Kubin: Nein.

Manitlowski: Und einen heißen Kaffee, ist das möglich?

Kubin: Tut mir leid. Hab ich nicht im Haus.

Manitlowski: Passen Sie auf mich auf? *Blättert und liest weiter in den Akten.* Sie gefallen mir. Sie gefallen mir tatsächlich. Sie erinnern mich an meine Njanja, meine Kinderfrau in Moskau. War auch so ein schrecklicher Drachen. Mein Stiefvater hatte Angst vor ihr. Wenn sie wütend wurde, verließ er das Haus. Aber mich liebte sie. Bei ihr durfte ich mir alles erlauben.

Kubin: Bei mir nicht. Ich bin nicht Ihre Kinderfrau.

Manitlowski *blättert und liest weiter in den Akten*: Toll. Ich verstehe nur die Hälfte, aber der Geheimrat ist unvergleichlich. Eine Koryphäe und ein mutiger Mann.

Kubin: Das müssen Sie mir nicht erzählen. Ich bin lange genug bei ihm.

Manitlowski: Kennen Sie sich mit diesen medizinischen Begriffen aus? *Blättert und liest weiter in den Akten.*

Kubin: Was denken Sie denn. Ich war die OP-Schwester vom Chef. Jahrzehntelang. Bis er mich bat, ihm den Haushalt zu führen. Sie wollen für den Geheimrat eine Klinik bauen?

Manitlowski: Ja.

KUBIN: Der Chef ist ein alter, kranker Mann. Er kann nicht mehr operieren.

MANITLOWSKI: Das habe ich längst gesehen. Ich weiß Bescheid. Genauso war mein Stiefvater, als es mit ihm zu Ende ging. Aber der war kein beeindruckendes Genie, nur ein bösartiger, dogmatischer Mann, der mich hasste. Aber ich hasste ihn auch. *Blättert und liest weiter in den Akten.*

KUBIN: Warum machen Sie das? Wenn Sie gesehen haben, dass der Chef nicht mehr kann, warum reden Sie ihm dann diesen Unsinn ein? Was soll das mit der Klinik?

MANITLOWSKI: Ich werde sie bauen, eine Klinik mit seinem Namen. Der Geheimrat wird seine Freude daran haben. Ich weiß nicht, ob er es noch erlebt, und ganz sicher wird er dort nicht mehr als Arzt arbeiten. Aber er soll an der Bruch-Klinik seine Freude haben. Das ist gut für ihn in seinem Zustand. Und es ist gut für mich. Was soll daran falsch sein, gute Frau?

KUBIN: Sie betrügen ihn.

MANITLOWSKI: Und Sie? Und Sperling? Und die Klinik? Was machen Sie alle?

KUBIN: Wenn Sie fertig sind, ich bin in der Küche. Sie müssen nur rufen. *Geht ab.*

MANITLOWSKI *blättert und liest weiter in den Akten*: Toll, er hat tatsächlich den alten Hindenburg operiert.

3. AKT

Große Empfangshalle des Cordula-Palais mit einer breiten Mitteltreppe und hohen bleiverglasten Fenstern. Überall sind deutlich die Spuren der Zerstörung zu sehen, aber auch die frühere Pracht ist erkennbar. In dem Kronleuchter und am Treppengeländer hängen provisorisch zwei Glühbirnen, deren elektrische Leitungen durch den ganzen Raum führen. Sperling und Manitlowski stehen inmitten der Halle, Manitlowski hält in der Hand eine Taschenlampe.

SPERLING: Mein Gott.

MANITLOWSKI: Haben Sie keine Fantasie, Doktor? Können Sie sich das nicht vorstellen? Ein Jahr weiter, und Sie werden Augen machen. Dann ist die alte Pracht hier wieder zum Leben erweckt.

SPERLING: Wenn es nicht um den Chef ginge, ich habe meine Praxis.

MANITLOWSKI: Ich sehe alles vor mir. Marmor und Messing. Und Glas, viel Glas. Eine Glaskuppel, Glasfenster, alles hell und freundlich.

SPERLING *geht an eine der Türen, klopft an*: Alles in Ordnung, Chef?

MANITLOWSKI: Das Ganze muss wie ein Grandhotel wirken, nicht wie ein aseptisches Kriegslazarett. Jetzt ist Frieden, jetzt muss groß gebaut werden, großzügig, für die Zukunft.

SPERLING: Mein Gott, Manni, hier soll gearbeitet werden. Wir wollen operieren und uns nicht erholen.

MANITLOWSKI: Natürlich, aber das kann doch auch in einem beeindruckenden Rahmen erfolgen. Man muss sich wohl fühlen. Alle sollen sich wohl fühlen, die Patienten, die Ärzte, die Schwestern. Noch auf dem Operationstisch soll der Kranke von der Pracht beeindruckt sein, Doktor. Nicht an der falschen Stelle sparen. Wir brauchen eine Klinik, die noch in zehn Jahren beeindruckt, in fünfzig Jahren.

SPERLING: Passen Sie auf, da liegen Eisenstangen. *Er geht wieder an die Tür, klopft leise an.* Alles in Ordnung? Kommen Sie zurecht, Chef?

BRUCH *tritt auf mit einer Taschenlampe, gibt die Lampe Sperling, knöpft sich den Mantel zu*: Die Wasserspülung funktioniert nicht. Sie ist abgestellt.

MANITLOWSKI: Hier ist alles kaputt. Die Rohre sind zerstört, eingefroren, rausgerissen, was weiß ich.

BRUCH: Es muss noch gespült werden.

MANITLOWSKI: Lassen Sie nur. Darum müssen Sie sich nicht kümmern, Chef. Das erledige ich. Sehen Sie sich das Haus an. Ihre künftige Klinik. Unser Doktor Sperling ist ganz deprimiert. Er kann sich nicht vorstellen, wie das einmal aussehen wird. Aber Sie, Chef, Sie haben doch Fantasie.

BRUCH: Ich habe schon Besseres gesehen. Aber auch Schlimmeres. Ich weiß nicht, ob die Villa für eine Klinik geeignet ist.

MANITLOWSKI: Man muss alles umbauen, natürlich, aber es ist eine ausreichend große Anlage. Alles ist möglich. Sehen Sie, Chef, der Architekt hat einige Zeichnungen gemacht, ein paar Faustskizzen, da können Sie sehen …

BRUCH: Zeig mir keine Zeichnungen. Erklär mir, was du machen willst, dann sehe ich es. Und rede nicht so viel mit großen Worten. Du liebst die bunten Worte, so wie diese Herrchen in den Alpen, im Winterkurort. Das musst du lassen. Sag es klar. Was machst du mit dieser Halle? Die brauche ich nicht.

MANITLOWSKI: Im Gegenteil, gerade die brauchen wir, Chef. Der Patient kommt in die Klinik, er betritt die Halle, Marmor, Messing, Glas. Ein Blick, und er weiß Bescheid, weiß, dass er sich in der Bruch-Klinik befindet, in der besten Klinik Deutschlands, der besten Europas. Wenn er diese Halle betritt, weiß er, hier arbeiten die besten Ärzte, hier wird ihm geholfen. Der erste Eindruck, Chef, der ist wichtig.

BRUCH: Jöngken, du bist ein schlaues Kerlchen. Aber zu schlau sein, ist schon wieder dumm. Du willst einen Palast, ich will eine Klinik. Und davon hast du keine Ahnung.

SPERLING: Das habe ich ihm auch schon erklärt. Die Arbeitsabläufe müssen stimmen. Die Räume müssen so konstruiert werden, dass man ohne Schwierigkeiten arbeiten kann.

MANITLOWSKI: Sie wollen eine amerikanische Klinik, diese, wie heißt sie doch, da müssen wir groß denken,

BRUCH: Ach, Jöngken, was du schon weißt. Du warst doch nie in der Mayo-Klinik. Und das hier soll die Bruch-Klinik werden? Das erinnert eher an eine Abbruchklinik. Da musst du noch viel tun.

SPERLING: Diese Halle. Das geht doch nicht.

BRUCH: Ich sag dir, was ich benötige, und das soll dein Architekt dann bauen. In der Bruch-Klinik wird es nicht nur Chirurgie und Radiologie und eine Pathologie geben. Hier wirst du jede Abteilung finden. Sogar einen Zahnarzt. Hier wird es Spezialisten geben. Meinetwegen sogar eine Psychiatrie. Wie an der Universitätsklinik wird bei mir jede Fakultät vertreten sein. Aber nicht getrennt voneinander, nicht unabhängig, sondern als Einheit. Der Patient ist eine Einheit, eine Ganzheit, und so muss er und seine Krankheit behandelt werden. Er kommt zu uns mit, sagen wir, einem Lungensarkom. Ein klarer Fall, wirst du sagen, für uns, für den Chirurgen. Aber bevor wir ihn öffnen, wird er von Kopf bis Fuß durchleuchtet. Jede Abteilung wird ihn untersuchen, bevor er bei uns auf den Tisch kommt, verstehst du. Bei einem Organismus hängt alles mit allem zusammen. Eine angeborene Anomalie der Nebennieren, ein entzündeter Kieferknochen, es kann alles von Bedeutung dafür sein. Wenn er bei uns auf den Tisch kommt, kennen wir die Zusammenhänge, wissen, welche Organe funktionieren, wo es Störungen gibt, was das erkrankte Organ beeinflusst. Beeinflussen könnte. Bevor ich das Messer ansetze, weiß ich Bescheid. Das ist die neue Chirurgie. So muss das sein. Natürlich werden wir Röntgen im OP haben, eine pneumatische Kammer, verstellbare OP-Tische, OP-Schleusen, einen Aufwachraum mit Intensivstation. Das ist alles von größter Bedeutung, und das alles muss auf dem neuesten Stand sein. Aber das reicht nicht. Das System muss geändert werden, schon beim Bau. So, hast du verstanden, Jöngken, so wird das was.

MANITLOWSKI: Ob ich verstanden habe? Natürlich habe ich das verstanden. Das war großartig, Chef.

BRUCH: Na, und du, Sperling? Was hältst du davon?

SPERLING: Wenn Sie so loslegen, Chef, wie ein Junger. Unglaublich. Und die Universitätsklinik will Sie pensionieren lassen!

BRUCH: Vergiss doch den Schlatter. Das ist ein Esel. Erinnerst du dich an die Geschichte mit dem Ewing Sarkom? Dieser Schlatter, der Dummkopf, hielt es für Morbus Paget. Ich habe mit bloßen Augen gesehen, dass es ein Ewing ist. Ein klassischer Ewing. Und seine Pathologen glaubten bei dem Präparat an Morbus Paget. Laborärzte. Haben ihr Leben lang keinen Kranken von Angesicht zu Angesicht gesehen. Ein Paget! Man brauche nicht zu operieren! Diese Dummköpfe. Ich habe mich natürlich um ihre Diagnose nicht gekümmert. Habe trotzdem operiert. Und es war ein Ewing. Schlatter und die ganze Pathologie war blamiert. Der verehrte Kollege, ein Dummkopf. Die Frau lebt, und das kann er mir nicht verzeihen. Im Grunde braucht ein erfahrener Kliniker keinen Pathologen. Und das habe ich Schlatter bewiesen. Ein Chirurg braucht ein gutes Auge und eine ruhige Hand, aber keinen Pathologen. Er braucht Gottvertrauen, aber keinen Pathologen. Habe ihn nie benötigt. Was diese Dummköpfe wissen, das weiß ein Chirurg allemal. Oder er ist kein Chirurg.

MANITLOWSKI: Ich sag doch, der Chef steckt noch alle in die Tasche.

SPERLING: Wenn Sie reden, dann sehe ich sie schon vor mir, die Bruch-Klinik.

MANITLOWSKI: Sag ich doch. Was Ihnen fehlt, Doktor, ist Fantasie. Der Chef versteht das gleich. Der hat noch Visionen. Der Chef sieht gleich, was man hier machen muss. Was aus der Ruine werden kann. Aber die Empfangshalle, Chef, das sollten Sie sich noch einmal überlegen. Stellen Sie sich vor: Sie kommen hier rein, eine prächtige Treppe, große Fenster, ein Empfang wie im Grandhotel, verstehen Sie.

BRUCH: Das ist Kokolores, Jöngken. Das brauch ich nicht.

MANITLOWSKI: Aber es macht Eindruck. Die Patienten sollen sich wohl fühlen. Eine Klinik wie ein Urlaub.

BRUCH: Nun bleib mal auf dem Teppich. Es sind Kranke,

Jöngken, vor allem sind es Kranke. Die musst du nicht beeindrucken, denen musst du helfen, die müssen sich in guten Händen wissen. Da brauchst du kein Hotel und keine beeindruckenden Treppen, sondern Ärzte und Schwestern, und zwar die besten. Es laufen genug Esel herum, die sich Arzt nennen. Überhaupt, was sich so Kollege nennt, das ist eine Zumutung.

SPERLING: Es ist nicht mehr wie vor dem Krieg. Die Ausbildung lässt zu wünschen übrig, der Nachwuchs …

BRUCH: Ach was, Ausbildung. Studenten sind faul. Studenten sind immer faul gewesen. Als Student war ich ein Hallodri, verschrien, versoffen. Ein Tunichtgut. Ein Tagedieb. Da gab es keinen, der auch nur einen Heller darauf gesetzt hätte, dass aus mir ein Arzt wird. Studenten, darüber will ich gar nicht reden. Studenten haben noch nie etwas getaugt. Aber danach muss es sich zeigen. Danach muss man seinen Mann stehen. Natürlich, man kann auch bequem leben, von mir aus, aber dann darf man nicht Arzt werden. Ein Chirurg und ein Musiker, die müssen brennen. Verbrennen. Oder sie taugen nichts. Chirurgen und Musiker, die haben nur für ihren Beruf zu leben. Da muss alles hintenan stehen, auch die Familie, die Frau, die Kinder. Musiker haben einen göttlichen Funken, und den dürfen sie nicht erlöschen lassen. Das sind sie ihrer Begabung schuldig. Und die Maler, die vielleicht auch noch. Aber alle anderen, das sind bestenfalls Künstler. Aber eigentlich zählen nur die Musiker und die Ärzte. Die Chirurgen. Weißt du, was ein guter Arzt ist, Jöngken?

MANITLOWSKI: Sicher, Chef. Ein Arzt muss selbstlos sein, muss sich aufopfern. Ärzte sind Wohltäter, Idealisten. Sie stehen über den anderen Leuten, den gewöhnlichen.

BRUCH: Nichts weißt du. Ein Arzt, das ist nichts weiter als ein gutes Auge und eine sichere Hand. Nichts weiter. Und er muss entschlossen sein, kurz entschlossen. Und wenn das alles zusammenkommt, dann hast du einen guten Arzt. Und wenn nur eins davon fehlt, dann hast du einen Esel vor dir. Einen Esel mit einem Doktortitel. Der dir dein Geld abknöpft, aber dir ganz gewiss nicht helfen wird. Unter uns, mein Lieber, von hundert Ärzten, die auf der Welt herumlaufen, sind neunundneunzig Idioten, die überhaupt nichts von Medizin verstehen. Das sind Numismatiker, verstehst du, Münzensammler, die nur Geld kassieren können. Die haben nur eine ruhige Hand, wenn sie dir die Rechnung schreiben.

SPERLING: Aber, Chef …

BRUCH: Red nicht. Ich weiß, was ich sage. Aber diese Herren Kollegen kommen nicht in meine Klinik. In der Bruch-Klinik wird keiner von diesen Herren tätig sein. Ich werde alle handverlesen. Die Approbation für meine Klinik, die muss sich jeder von mir persönlich abholen. Wer bei mir arbeiten will, muss etwas geleistet haben. Muss etwas vorweisen können. Wer nicht in den Annalen der Medizin steht, wird auch nicht in der Bruch-Klinik herumstehen. – Streck mal deine Hand aus, Jöngken. Halt sie ruhig.

Manitlowski und Bruch strecken jeder eine Hand aus.

Nein, das ist nichts. Du zitterst. Deine Hand zittert. Siehst du das nicht. Schau dir meine Hand an. Völlig ruhig. Aber du … bei mir könntest du nicht als Arzt arbeiten. Das ist ausgeschlossen.

MANITLOWSKI: Ich bin auch kein Arzt, Chef.

BRUCH: Das ist dein Glück. Besorg du das Geld. Und

bring mir den Architekten. Ich werde dem sagen, was er bauen muss. Und jetzt zeigst du mir den Park hinterm Haus. Ich will sehen, ob wir hier überhaupt genug Platz haben für eine solche Klinik.

SPERLING: Dafür ist es zu dunkel. Man sieht nichts. Wir sollten uns das Grundstück am Tage ansehen. Und gleich mit dem Architekten zusammen. Das ist doch eine verrückte Idee, hier nachts rumzuschleichen.

BRUCH: Du hast doch eine Lampe in der Hand. Komm, wir wollen keine Zeit verlieren. Wo wir schon einmal hier sind. Komm schon. – Sag mal, Jöngken, wer bezahlt denn das alles? Wer gibt dir denn das Geld für meine Klinik? Hast du endlich einen gefunden, der uns das Geld gibt?

MANITLOWSKI: Darüber wollte ich mit Ihnen noch sprechen. Ich habe in Ihren Unterlagen gesehen, dass Sie Bardenheuer behandelt haben. Bardenheuer von Bardenheuer und Sohn.

BRUCH: Sicher. Sicher habe ich ihn operiert. Was war das denn? Weißt du das noch, Sperling?

SPERLING: Das ist Jahre her. Das war noch vor dem Krieg. Ich erinnere mich. Bardenheuer, war noch gar nicht so alt und hatte ein Panzerherz, so ein steinernes Herz. Wurde uns damals überwiesen.

BRUCH: Ja, ich erinnere mich. Ich denke … ja, jetzt weiß ich. Da habe ich ganze Kalkplatten abkratzen müssen und das Perikat gefenstert, die Herzhaut. Bardenheuer, jaja. Der besitzt diese Fabrik für homöopathische Mittelchen, nicht wahr. Uralte, steinreiche Familie.

MANITLOWSKI: Genau das ist er, Chef. Ein großer Unternehmer. Und Sie haben ihm das Leben gerettet. Ich denke, er ist für uns ansprechbar.

SPERLING: Das war in Schlesien, Chef. Die Fabrik hatte

er in Schlesien. Der Mann hat doch alles längst verloren.

MANITLOWSKI: Bardenheuer und Sohn sitzen jetzt in der Nähe von Stuttgart. Der Mann hat ein neues Werk aufgebaut und ist wieder voll im Geschäft. Er hat einen Namen, er hat Kapital, er könnte unser Mann sein.

SPERLING: Na, sicher hat er einen Namen, aber das ist wohl auch das bedeutendste Kapital, das er hat. Sie träumen, Manni. Bardenheuer hat neu begonnen, der Mann ist noch nicht zahlungsfähig. Kann es gar nicht sein. Er hat eine Firma aufzubauen, da wird er für ein Unternehmen wie unsere Klinik nicht zu gewinnen sein. Er wäre überfordert.

MANITLOWSKI: Er hat sich wunderbar gerappelt. Der steht wieder auf den Beinen. Seine Firma ist führend in Deutschland. Ein Phönix aus der Asche.

SPERLING: Das ist nicht seriös. Lassen wir die Finger davon, Chef. Das ist mir zu windig.

MANITLOWSKI: Wollen Sie nun eine Bruch-Klinik oder nicht? Ich habe die Lizenz, und das Geld besorge ich schon.

SPERLING: Lassen wir es, Chef.

BRUCH: Nun lass mal gut sein, Sperling. Du immer mit deinen Bedenken. Zeig mal etwas Mut. Was habe ich dir beigebracht? Entschlusskraft zeichnet den Arzt aus. Dat Jöngken wird das schon zustande bekommen.

SPERLING: Und was soll das kosten? Eine Million? Zwei Millionen? Die kann uns der Bardenheuer nicht beschaffen. Das ist unmöglich.

MANITLOWSKI: Das lassen Sie meine Sorge sein, Doktor.

BRUCH: Eine Million, zwei Millionen. Vielleicht kostet die Klinik eine Milliarde. Du bist aber auch ängstlich. Was ist denn Geld? Das ist nur Papier. Bedrucktes Papier.

Geld ist gar nichts, das ist nur eine Fiktion. Erst wenn es etwas Wirkliches in Bewegung setzt, bekommt es Bedeutung. Und dafür brauchen wir Leute wie ihn und den Bardenheuer. Für ein solches Projekt braucht man keine zimperlichen Buchhalter, sondern Männer mit Fantasie und Entschlossenheit.

Sᴘᴇʀʟɪɴɢ: Aber es muss doch seriös bleiben. Warum sprechen wir nicht mit einer angesehenen Bank?

Bʀᴜᴄʜ: Zwecklos. Das habe ich versucht, es ist zwecklos. Diese Bankmenschen sind völlig ungeeignet. Die glauben doch tatsächlich, dass ihr bedrucktes Papier einen Wert an sich hat. Die haben doch von Geldgeschäften überhaupt keine Ahnung. Im vergangenen Jahr kam der Direktor meiner Bank zu mir ins Haus und beschwerte sich. Ich verstehe nicht, sagte er, wieso Ihr Konto ständig ein Minus aufweist, wo Sie doch so viele Einnahmen haben. Weißt du, was ich diesem Kerl geantwortet habe? Wenn Sie es nicht verstehen, habe ich gesagt, Sie als Bankdirektor, wie soll ich es denn dann verstehen? Und dann habe ich ihn hinausgeworfen. Der Mann ist doch unfähig, völlig ungeeignet, eine Bank zu führen. Ich werde meine Bank wechseln. Ich werde mein Geld nicht einem solchen Dilettanten überlassen. Sobald ich wieder Geld habe, wechsle ich die Bank. – Und du, Jöngken, mach das mal so. Sprich mit dem Bardenheuer. Der kann das bezahlen.

Mᴀɴɪᴛʟᴏᴡsᴋɪ: Ich habe ihm geschrieben. Und wir haben bereits telefoniert.

Bʀᴜᴄʜ: Na, da hat er sicher nur das Beste über mich erzählt.

Mᴀɴɪᴛʟᴏᴡsᴋɪ: Er war ganz glücklich, als ich Ihren Namen nannte. Sie sind sein Lebensretter, sagte er. Er verehrt Sie wie … wie einen Gott.

BRUCH: Jaja, sicher. Und? Gibt er das Geld?

MANITLOWSKI: Er will Sie sehen. Er will uns sprechen. Er hat uns eingeladen. Wir sollen ein Wochenende in seiner Villa verbringen. Da will er mit uns über alles reden. Ich glaube, wir können ihn gewinnen.

BRUCH: Bei ihm? In seiner Villa? Warum kommt er nicht zu mir? Hier kann er sich gleich das Gebäude ansehen.

MANITLOWSKI: Er hat uns eingeladen. Und zu einem ersten Gespräch sollten wir zu ihm fahren. Glauben Sie mir, Chef, das ist besser. Atmosphärisch besser.

BRUCH: Wenn du meinst. Dann muss ich wohl.

MANITLOWSKI: Wann können Sie fliegen, Chef? Bardenheuer richtet sich nach Ihnen. Er kann uns schon am kommenden Wochenende empfangen.

BRUCH: Gut. Mach das so, Jöngken. – Sehen wir uns den Park an. Ihr müsst euch mit der Klinik beeilen. Ich habe nicht mehr viel Zeit. – Was ist denn, Sperling, komm. *Geht ab.*

SPERLING: Manni, ich warne Sie. Spielen Sie nicht mit uns.

MANITLOWSKI: Was haben Sie denn? Bardenheuer hat uns eingeladen.

VON MOSCH *wird, im Rollstuhl sitzend, von einem Mann mit Chauffeursmütze auf die Bühne geschoben*: Was suchen Sie hier, bitte? Was verschafft mir die Ehre Ihrer Bekanntschaft, meine Herren?

MANITLOWSKI: Darf ich fragen, weshalb Sie sich dafür interessieren, gnädige Frau?

VON MOSCH: Beantworten Sie bitte meine Frage.

MANITLOWSKI: Verzeihen Sie, wir sind dabei, mit Einwilligung des Besitzers, ein Grundstück zu besichtigen.

VON MOSCH: Mit Einwilligung des Besitzers?

MANITLOWSKI: Ja. Selbstverständlich. Oder glaubten Sie, wir wären Einbrecher?

VON MOSCH: Und wie sind Sie hier hereingekommen?

MANITLOWSKI: Verzeihen Sie, aber ich wüsste nicht, was Sie das angeht.

VON MOSCH: Meine Herren, Sie befinden sich im Cordula-Palais. Es ist in einem bedauerlichen Zustand, aber immer noch Eigentum der Familie von Mosch. Mein Fahrer hatte mich über Ihren unerbetenen Besuch unterrichtet.

SPERLING: Manni, was haben Sie angerichtet!

VON MOSCH: Mein Fahrer hat bereits die Polizei benachrichtigt. Wenn Sie mir meine Fragen nicht beantworten wollen, bitte. In wenigen Minuten werde ich Sie als Einbrecher festnehmen lassen.

SPERLING: Mein Gott, Manni, was haben Sie nur angestellt? – Verzeihen Sie, gnädige Frau, mein Name ist Sperling. Doktor Sperling. Ich hatte keine Ahnung, dass wir ohne Ihre Erlaubnis in Ihrem Haus sind. Dieser Mann hat uns belogen.

VON MOSCH: Was suchen Sie hier?

SPERLING: Es ist mir sehr unangenehm, Frau von Mosch, bitte glauben Sie mir das.

VON MOSCH: Beantworten Sie bitte meine Frage.

SPERLING: Wir suchen nach einem geeigneten Grundstück und Haus für eine Klinik. Und dieser Herr hatte uns das Cordula-Palais empfohlen.

VON MOSCH: Als Klinik?

SPERLING: Ja, eine Klinik für den Geheimrat Bruch.

VON MOSCH: Für Geheimrat Bruch?

SPERLING: Ja, das ist ein sehr berühmter, ein sehr bekannter Chirurg …

VON MOSCH: Junger Mann, ich glaube nicht, dass Sie irgendjemandem erklären müssen, wer Theodor Bruch ist. Und mir schon gar nicht.

MANITLOWSKI: Gnädige Frau, verzeihen Sie vielmals, das Ganze ist ein unglückliches Missverständnis. Ich wurde selber falsch unterrichtet.

VON MOSCH: Eine Klinik für Geheimrat Bruch? Und das soll ich Ihnen glauben?

MANITLOWSKI: Ein unglückliches Missverständnis, glauben Sie mir bitte. Der Geheimrat wird es Ihnen bestätigen. Er muss jeden Moment wiederkommen.

VON MOSCH: Bruch? Theodor Bruch ist hier?

SPERLING: Ja. Ich werde nach ihm sehen.

BRUCH *tritt auf*: Wo bleibt ihr denn, zum Teufel?

VON MOSCH: Theodor?

BRUCH: Ja, bitte?

VON MOSCH: Guten Abend, Theodor.

BRUCH: Gnädige Frau, ich weiß nicht ... Mathilde? Wie kommst du hierher?

VON MOSCH: Das sollte ich dich fragen, Theodor. Schließlich gehört das Cordula-Palais seit einhundertfünfzig Jahren meiner Familie.

BRUCH: Gut siehst du aus.

VON MOSCH: Ich weiß, Theodor. Aber du bist auch noch immer ein stattlicher Mann.

BRUCH: Wie lange haben wir uns nicht gesehen?

VON MOSCH: Bitte, keine Rechnerei mit Jahren. Was ist schon Zeit! Du operierst noch immer?

BRUCH: Die Katze lässt das Mausen nicht.

VON MOSCH: Und jetzt eine eigene Klinik, Theodor? Wie kommst du denn dazu? Du hattest doch nie Geld. Du konntest doch nie mit Geld umgehen.

BRUCH: Das macht dat Jöngken, der besorgt das Geld. Mein Gott, du bist schön.

VON MOSCH: Theodor, Lieber, ich bitte dich. Ich habe bereits einen Urenkel.

BRUCH: Sollten wir beide nicht wieder auf einen Ball fahren? Wie damals? Und wieder bis in den frühen Morgen tanzen? Einen Walzer mit dir?

MANITLOWSKI: Wer ist das? Eine Freundin, ein Verhältnis vom Chef?

VON MOSCH: Junger Mann, ich bin alt, aber ich höre noch sehr gut. Und da es Sie so sehr interessiert: ja, ich war Theodors Verhältnis und Theodor war mein Verhältnis. Aber das hatte nichts Zweideutiges. Mein Mann wusste Bescheid und Theodors Frau ebenso. Aber das versteht Ihre Generation nicht. Sie haben alle keinen Stil mehr, keine Lebensart. – Mit dir auf einen Ball? Wir sind nicht in München, Theodor. In Berlin kann man nicht feiern. In Berlin hat man noch nie verstanden zu feiern.

BRUCH: Mathilde, weißt du noch, auf dem Züricher See? Du hast mich fast ertränkt.

VON MOSCH: Keine Rührseligkeiten, Theodor, bitte. Wir wollen uns nicht gehen lassen. Ich muss mich beeilen. Ich werde erwartet. Eine langweilige Gesellschaft, aber es muss sein. Das Haus verkaufe ich euch, wenn ihr wollt. Mir hat es nie gefallen, es hat keine Atmosphäre. Und wenn du hier Leute aufschneiden willst, bitte, das passt zu dem Haus.

BRUCH: Ich werde die Klinik nach dir nennen lassen, Mathilde. Das klingt schöner als Bruch-Klinik.

VON MOSCH: Das wirst du unterlassen. Wie du weißt, hasse ich Krankes und Krankenhäuser. Nein, mit deiner Klinik habe ich nichts zu schaffen. Dafür ist mir mein Name zu gut. Besuch mich. Komm zu mir zum Tee. – *Zu ihrem Chauffeur:* Gehen wir. – *Zu Bruch:* Ich muss meinen Fahrer beruhigen. Er wollte euch unbedingt verhaften lassen. Er wollte den Einbrecher Theodor Bruch verhaften lassen.

Bruch: Sag mal, was hast du hier für hässliche braune Flecken, Mathilde? Das darf doch nicht sein. Die werde ich dir wegmachen.

von Mosch: Kommt gar nicht in Frage, das erlaube ich nicht. Mit einem Messer lasse ich keinen Mann an mich heran. Wie seid ihr nur hier reingekommen? Nein, das will ich gar nicht wissen. Macht die Tür gut zu, wenn ihr geht. Alles Weitere kannst du mit meinem Anwalt besprechen. So, ich muss gehen. *Gibt ihrem Chauffeur ein Zeichen.*

Bruch: Dann bis bald, Mathilde

von Mosch: Auf Wiedersehen, Theodor. – *Zu ihrem Chauffeur:* Nein, warten Sie. – *Zu Bruch:* Ach, weißt du, ich ziehe die Einladung zum Tee zurück, Theodor. Besuch mich nicht. Ich tanze nicht mehr so gut. Und wir wollen es vermeiden, in Erinnerungen zu schwelgen. So alt sind wir nun auch nicht. Leb wohl. – *Zu ihrem Chauffeur:* Fahren wir endlich.

Der Chauffeur schiebt sie von der Bühne.

Manitlowski: Donnerwetter, Chef. Das ist ja eine beeindruckende Person.

Bruch: Ja, siehst du, so findet sich alles. Mit Bruch ist so eine Klinik ein Kinderspiel. So, und nun gehen wir in den Park. Leuchte mir, Jöngken. Und ruf den alten Bardenheuer an. Wir fliegen zu ihm, noch diese Woche. Gehen wir. – Sperling, du denkst an das Klo. Da musst du etwas Wasser hineinkippen. Vergiss das nicht.

Sperling: Natürlich. Seien Sie unbesorgt.

Bruch: Na, das Haus wird ein Stück kosten, Jöngken. Das muss richtig bezahlt werden. Schenken lasse ich es mir nicht. Schon gar nicht von Mathilde. Da werden wir dem alten Bardenheuer viel Geld abknöpfen müssen.

MANITLOWSKI: Wenn er der Geschäftsmann ist, für den ich ihn halte, weiß er, das ist eine lohnende Investition.

BRUCH: Natürlich ist das ein Geschäft für ihn. Die Armen, die operiere ich auch, da nehme ich kein Geld. Das muss sein. Das Geld müssen mir die anderen bringen, meine Privatpatienten. Denen sage ich immer: ab dreitausend Mark aufwärts wird die Hand sicher. Da wird der größte Geizkragen spendabel. Warum habt ihr beiden den Architekten nicht mitgebracht. Dem hätte ich gleich alles erzählen können, was ich brauche.

4. AKT

Die Diele der Bruchschen Villa wie im 1. Akt. Kubin.

Kubin: Alles werde ich nicht bezahlen. Alles kann ich nicht bezahlen. Mein Konto wird von Monat zu Monat kleiner. Es schmilzt dahin, und nichts kommt dazu. Champagner! Jetzt ist er völlig durchgedreht. Champagner! Wie komm ich denn dazu. Dann soll er mir Geld geben, der verrückte Esel. Wieder eine Laune. Eine Grille hat der Herr. Champagner! Sein Leben lang gibt es zum Frühstück einen Tee und einen Apfel, und auf einmal muss es wieder Champagner sein. Er ist durchgedreht. Wirr. Mir muss man nichts erzählen. Ich weiß Bescheid. Ich weiß, was mit dem Geheimrat los ist. Er hat senile Demenz. Ist eben alt geworden. War halt alles zu viel. Zwei Kriege und immer mit dem Verstand arbeiten, das hält der Kopf nicht aus.

Bruch *tritt auf mit einer Hausjacke*: Wie spät ist es?

Kubin: Halb neun.

Bruch: Gut. Sehr gut. Frühstück für zwei Personen, bitte. Zwei Gedecke. Festlich. Und Champagner. Den Herzog-Ulrich-Champagner. Zu einem Anlass immer Herzog-Ulrich-Champagner. Den gab es schon bei Elberfeld. Wenn Elberfeld einlud, gab es Herzog-Ulrich-Champagner. Der war schon damals der beste.

Kubin: Ist mein Tee Ihnen nicht gut genug?

Bruch: So habe ich es mein Leben lang gehalten: bei einem Anlass Champagnerfrühstück. Wenn die Berufung erfolgte, Breslau, Basel, München, Berlin – ein Champagnerfrühstück zu zweit. Und immer der Herzog-Ulrich. Der wird doch noch zu haben sein. Ein so vorzüglicher Champagner.

KUBIN: Mein Tee ist für alte Männer gesünder. Wovon soll ich den Champagner bezahlen? Wir haben nicht einmal Kohlen im Keller.

BRUCH: Wenn Sie Geld brauchen, Kubin, müssen Sie es sagen. Wir haben alles im Haus. *Geht zu einem Bild, klappt es zur Seite, ein Safe wird sichtbar.* Wo ist der Schlüssel?

KUBIN: Wo er immer liegt. Da, auf dem Kamin. Aber das können Sie sich schenken. Den Schrank können Sie zulassen. Mit dem Geld bekomme ich keinen Champagner.

BRUCH *nimmt den Schlüssel, öffnet den Safe*: Sie holen zwei Flaschen. Mit dem Elberfeld haben wir einmal dreiundzwanzig Flaschen geleert. Dreiundzwanzig Flaschen und nur vier Herren. An dem Abend war die gesamte Breslauer Chirurgie nicht in der Lage, einen geraden Schnitt zu machen. Lediglich ein Assistent war für Notfälle abgestellt. Die gesamte Chirurgie in Breslau war Herzog-Ulrich-geschädigt. Ein vorzüglicher Champagner. Dreiundzwanzig Flaschen, und nicht einer hatte danach einen schweren Kopf. So, hier haben Sie Geld. Gehen Sie und holen Sie zwei Flaschen.

KUBIN: Das Geld können Sie gleich in den Kamin schmeißen. Das ist nichts wert.

BRUCH: Das Geld ist nichts wert? Sie sind noch dümmer als dieser Bankdirektor.

KUBIN: Das ist ungültig. Das gilt nichts mehr.

BRUCH: Das sind Honorare. Das haben mir Könige und Prinzen zahlen müssen. Hindenburg, der türkische Sultan, der König von England – haben alle zahlen müssen.

KUBIN: Es ist nicht mehr gültig. Heute haben wir anderes Geld.

BRUCH: Anderes Geld? Natürlich. Das weiß ich doch. Dann gehen Sie zur Bank und tauschen es um.

KUBIN: Das tauscht keiner um. Das ist wertloses Papier.

BRUCH: Sie gehen zur Bank und sagen, das hier ist das Geld vom Chef. Vom Geheimrat Bruch. Dann werden Sie sehen, was passiert.

KUBIN: Ich gehe damit nicht zur Bank. Ich bin nicht verrückt. Da muss sich der Herr Geheimrat schon selber bemühen. Wenn ich mit diesen Fetzen in der Bank erscheine, die sperren mich in die Klapsmühle. Das ganze Geld, alles hier in dem Schrank, das können Sie wegwerfen. Dafür bekommen Sie nicht mehr eine einzige Kartoffel.

BRUCH: Sie gehen damit zur Bank und Schluss. Und jetzt den Champagner, zwei Flaschen. Und zwei Gedecke. Und festlich alles.

KUBIN: Wen erwarten Sie denn, Chef?

BRUCH: Eine Dame, natürlich, Kubin. Was für eine Frage! Eine Dame. *Geht ab.*

KUBIN: Champagner! Zwei Gedecke! Porzellan ist im Haus. Das haben wir noch. Das kauft heute keiner mehr. Wollen alle modern sein. Und dazu gibt es Tee. Den kann er aus Sektkelchen trinken. Er ist völlig durchgedreht. *Sie deckt den Tisch ein.* Nichts zu heizen haben, aber Gäste einladen. Heute spielen wir wieder Geheimrat. Der Herr Geheimrat gibt sich die Ehre. Der Herr Geheimrat empfängt. Da hatten Gloria und ich aufzutischen. Und nichts war gut genug, nichts war teuer genug. Zufrieden war der Herr nie. Und nun sind wir endlich bankrott, wir leben von meiner Witwenrente, von meinem Ersparten, aber der Herr Geheimrat will Champagner. Und ich bin froh, wenn ich mir mal eine Tasse echten Kaffee leisten kann.

Es klingelt.

Der Champagnergast. Wenn es wenigstens der kleine Doktor Sperling wär. Der bringt immerhin mit, was er essen will. *Geht ab und tritt kurz danach wieder auf.* Nein, das geht heute nicht. Heute hat der Geheimrat wirklich keine Zeit für Sie.

SCHÖNBRUNN *tritt auf*: Ich muss ihn sprechen.

KUBIN: Heute nicht. Heute feiert der Geheimrat.

SCHÖNBRUNN: Er muss mich operieren. Er muss mir helfen. Er hat es mir fest versprochen.

KUBIN: Operieren? Kindchen, gehen Sie in irgendein Krankenhaus und lassen Sie den Geheimrat in Ruhe. Er ist doch schon ein alter Herr. Der operiert nicht mehr. Er ist zu alt.

SCHÖNBRUNN: Nur er kann mir helfen. Und er hat mich doch bestellt. Er hat mich für heute neun Uhr bestellt.

KUBIN: Für neun Uhr? Sie sind das?

BRUCH *tritt auf*: Ist das Fräulein gekommen? Ach, da bist du, Kindchen. Einen Moment. *Geht ab.*

KUBIN: Dann setzen Sie sich, Fräulein. Wie alt sind Sie denn? Siebzehn, achtzehn?

SCHÖNBRUNN: Nein, ich bin viel älter. Ich bin sechsundzwanzig.

KUBIN: Ja, das ist natürlich sehr viel älter. So dünn und so blass. Sie wirken wie ein Schulmädchen. Hören Sie auf mich, gehen Sie in ein Krankenhaus. Was immer Sie auch haben, gehen Sie in irgendein Krankenhaus. Der Geheimrat ist schon alt und er ist durcheinander. Er ist ein alter Mann.

SchÖNBRUNN: Nur er kann mir helfen. Er hat mir schon einmal das Leben gerettet.

Kubin: Ja, sicher. Aber jetzt operiert er nicht mehr. Er hat auch gar keine Klinik. Er ist pensioniert, verstehen Sie doch.

Bruch *tritt auf, nun mit einer Fliege und einem Jackett*: Setz dich, mein Kind. – Wo ist der Champagner? Ich öffne ihn selbst. Die Gläser fehlen.

Kubin: Es gibt keinen Champagner. Es ist kein Geld da.

Bruch: Was? Wie? Kubin, ich hatte ausdrücklich Champagner bestellt.

Kubin geht ab.

Nein, ich werde mich nicht ärgern. Heute nicht. Sie will mir diesen Tag verderben, aber ich werde mich nicht ärgern. Komm, setzen wir uns hin. Ich will heute mit dir feiern. Ich habe einen Grund zu feiern.

SchÖNBRUNN: Und Sie operieren mich?

Bruch: Natürlich. Aber erst musst du mit mir frühstücken. So habe ich es immer gehalten, wenn es einen Anlass gab. Ein Champagnerfrühstück. Und ich werde mich heute nicht ärgern. Komm, stoßen wir mit den Teegläsern an. Du musst mir Glück und Erfolg wünschen. So habe ich es mit meiner Frau gehalten, bei jeder Berufung. Und heute gibt es einen ganz besonderen Anlass. Ich bekomme meine eigene Klinik. Die Bruch-Klinik, mein Kind. Gestern haben wir alles geklärt. Einer meiner früheren Patienten wird die Klinik finanzieren. Das wird eine einzigartige Klinik, die findest du in Deutschland nicht noch einmal. Die Bruch-Klinik, darauf stoßen wir an, mein Kind. Wünsche mir jetzt Glück und Erfolg. So wie meine Frau früher.

SchÖNBRUNN: Glück und Erfolg, Herr Geheimrat.

BRUCH: Ach, nicht doch. Nicht Geheimrat. Sag einfach Chef zu mir. Ich bin überall nur der Chef. Auch meine Frau hat nur Chef gesagt. Also komm, mein Kind.

SCHÖNBRUNN: Glück und Erfolg, Chef.

BRUCH: Danke, mein Kind. Und jetzt sollst du mir auch einen Kuss geben. So ist es recht. In zwei Jahren operiert der Chef in der Bruch-Klinik. Heute Nachmittag kommt der Architekt zu mir, das ist ein sehr guter Mann, heißt es, der beste in Deutschland. Dem werde ich sagen, wie er die Klinik bauen soll. Und dann geht es von Tag zu Tag vorwärts. Dann arbeite ich im eigenen Haus. Und du, mein Kind, wirst dabei sein. Das musst du mir versprechen. An dem Tag wirst du mich begleiten. Einverstanden?

SCHÖNBRUNN: Ja, Herr –, Chef.

BRUCH: Was uns die Kubin nur hingestellt hat! Keine Lebensart! Mein Kind, werde nur nicht alt. Man ist auf andere angewiesen, es wird unerträglich. Das soll ein Champagnerfrühstück sein! Diese dumme Person. Man will einen Bruch in den Ruhestand schicken! Einen Bruch! Kannst du dir das vorstellen? Das kann sich kein Mensch vorstellen. Das ist unvorstellbar. Bruch als Pensionär, das ist lächerlich. Das ist ein Witz. Man sollte diesen Minister ohrfeigen, rechts, links. Als ob es in Deutschland genug Ärzte gäbe. Ich meine, richtige Ärzte. Nicht diese Numismatiker, davon gibt es ausreichend. Aber ich werde es diesen Verbrechern zeigen. Der Chef wird in seiner eigenen Klinik operieren. Dann werden sie wieder alle kommen, Könige, Diplomaten, Regierungschefs. Sie werden alle in die Bruch-Klinik kommen. – Aber du isst ja gar nichts, Kindchen.

SCHÖNBRUNN: Ich kann nicht essen. Es tut weh.

BRUCH: Das bringen wir wieder in Ordnung.

SCHÖNBRUNN: Und ich werde nicht daran sterben?

BRUCH: Sterben? An so einem Pickel? Wer hat dir denn diesen Floh ins Ohr gesetzt?

SCHÖNBRUNN: Die Ärzte in Ihrer Klinik …

BRUCH: Diese Dummköpfe, diese Stoffel. Diese Banditen. – Nun beruhige dich, Püppchen, du bist bald wieder kerngesund. Du willst doch sicher noch ein paar Kinder kriegen? Hast du denn einen Freund?

SCHÖNBRUNN: Ich bin verlobt.

BRUCH: Na, siehst du. Und dein Verlobter, der will doch eine gesunde Frau. Und das da, das ist nur eine Bagatelle. Das könnte ich sogar hier in meinem Haus machen.

SCHÖNBRUNN: Dann tun Sie es, bitte. Ich kann nicht schlafen, ich kann nicht essen, ich kann kaum atmen.

BRUCH: Hier im Haus? Wie stellst du dir das vor, Kind? Ich brauche einen Arzt für die Narkose, ich brauche zwei Assistenten, Schwestern …

SCHÖNBRUNN: Geht es nicht ohne Narkose. Ich habe keine Angst. Ich werde auch nicht schreien. Ich werde keinen Mucks von mir geben. Ich kann viel aushalten.

BRUCH: Ohne Narkose? Aber warum denn ohne Narkose? Im Krieg habe ich ohne Narkose operieren müssen. Extraktionen, Resektionen, auch Amputationen, alles ohne Narkose. Da war gelegentlich nicht einmal eine örtliche Betäubung möglich. Stell dir das vor. Tapfere Jungen waren das. Die haben die Zähne zusammengebissen und keinen Laut von sich gegeben. Aber da war Krieg, das war an der Front.

SCHÖNBRUNN: Bitte, Chef. Ich werde so tapfer sein wie die Soldaten. Ich verspreche es Ihnen. Ich brauche keine Narkose. Ich werde keinen Ton von mir geben. Bitte, operieren Sie mich.

BRUCH: Einfälle hast du. Das geht nicht, Kindchen. Hier

ist doch überhaupt nichts dafür vorhanden. Nichts ist steril. Ich würde mich strafbar machen.

SCHÖNBRUNN: Aber ich halte es nicht mehr aus. Und für Sie ist es doch nur eine Bagatelle. Das haben Sie selbst gesagt.

BRUCH: Natürlich ist es eine Bagatelle, aber auch die muss ordentlich gemacht werden. Und dann muss die Wunde ordentlich versorgt werden. Das kann ich nicht alles allein. Und du musst nüchtern sein, völlig nüchtern.

SCHÖNBRUNN: Ich habe nichts gegessen. Schon einen ganzen Tag. Ich kann gar nichts mehr essen.

BRUCH: Was du für Einfälle hast, mein Gott. Das ist ausgeschlossen. Wie stellst du dir das vor! Im Badezimmer würde es gehen, das ist groß genug. Und da steht auch noch die Krankenliege von meiner Frau. Wir müssten natürlich aufpassen, dass kein Wundbrand entsteht. Aber nein, das ist zu abenteuerlich, Kind. Das würde mich meine Approbation kosten. Es wäre das gefundene Fressen für Schlatter. Für diese Schlange Schlatter. Und für diesen Minister. Die warten doch nur auf eine solche Pflichtverletzung, um gegen mich vorgehen zu können. Nein, das ist ausgeschlossen, mein Kind, vollkommen ausgeschlossen.

SCHÖNBRUNN: Kein Mensch wird es erfahren, Herr Geheimrat. Ich werde schweigen. Wie ein Grab.

BRUCH: Ach, mein Täubchen, was du dir in den Kopf gesetzt hast! Das geht nicht. Nein, nein.

SCHÖNBRUNN: Ich vertraue Ihnen, Herr Geheimrat.

BRUCH: Herr im Himmel, Kind, das hat doch nichts mit Vertrauen zu tun. Es ist schön, dass du mir vertraust, mein Kind, aber das hier ist kein Operationssaal. Das ist meine Wohnung. Steril sein, weißt du überhaupt, was das bedeutet? Hast du eine Vorstellung davon, wie viel Unglückliche nur deswegen eine vorzügliche und gelungene Operation nicht überlebt haben, weil die Wunde nicht steril versorgt wurde. Tausende sind daran gestorben. Hunderttausende.

SCHÖNBRUNN: Ich lege mein Leben in Ihre Hände, Herr Professor.

BRUCH: Nur ein Wahnsinniger würde heute septisch operieren. Nur ein Verbrecher.

SCHÖNBRUNN: Ich vertraue Ihnen. Sie können es, ich weiß es.

BRUCH: Ich habe noch nie in meinem Leben in meiner eigenen Wohnung operiert.

SCHÖNBRUNN: Sie schaffen es, Herr Geheimrat. Sie schaffen alles. Was sich keiner wagt, Sie bringen es fertig.

BRUCH: Kind!

SCHÖNBRUNN: Ich vertraue nur Ihnen, Herr Geheimrat. Es ist doch nur eine Lappalie. Das ist doch gar nichts für Sie.

BRUCH: Gar nichts! So, so. Was unser Täubchen nicht alles weiß. »Das Unzulängliche, hier wirds Ereignis. Das Unbeschreibliche, das Ewig-Weibliche zieht uns hinan.« Das ist Goethe, mein Kind, auch so einer, der alles konnte. Ein Chef. Dann komm mal. Die Kubin ist ja da, die ist OP-Schwester. Das ist die beste, die ich hatte. Wollen wir mal sehen, ob mein OP-Besteck vollständig ist. Du musst mir aber zur Hand gehen, du musst selber die Liege beziehen.

SCHÖNBRUNN: Ich mache alles, Herr Geheimrat. Wenn Sie mir nur helfen.

BRUCH *reicht ihr seinen Arm*: Nimm meinen Arm. Stütz dich auf mich.

SCHÖNBRUNN: Als ob Sie mich zum Tanz bitten, Herr Geheimrat.

BRUCH: Ja. Zu einem Walzer. Darf ich bitten?

Sie gehen zusammen ab; danach tritt Kubin auf.

KUBIN: Ach, ist das Champagnerfrühstück zu Ende? Da hat ihm mein Tee wohl nicht geschmeckt. *Nimmt das Geschirr und geht ab.*

BRUCH *tritt mit einer umgebundenen Küchenschürze auf, OP-Besteck in der Hand*: Kubin! He! Kubinchen! Wo stecken Sie denn?

KUBIN *tritt auf*: Was ist denn mit Ihnen passiert? Was haben Sie denn gemacht? Und wo ist das kleine Fräulein geblieben?

BRUCH: Kommen Sie mit mir ins Bad. Sie müssen mir helfen.

KUBIN: Helfen? Was soll ich Ihnen helfen?

BRUCH: Ein Notfall. Ich muss operieren. Sofort operieren. Das Kindchen muss sofort versorgt werden.

KUBIN: Ich rufe die Klinik an.

BRUCH: Dafür haben wir keine Zeit. Ich operiere. Sie kommen und assistieren mir.

KUBIN: Aber, Chef, hier? Hier in der Wohnung? Ich habe das Jahrzehnte nicht mehr gemacht.

BRUCH: Reden Sie nicht. Wir haben keine Zeit zu verlieren.

KUBIN: Ich rufe nur rasch an.

BRUCH: Nein. Sie kommen mit.

KUBIN: Die sollen uns einen Wagen schicken. Einen Arzt.

BRUCH: Nein. Kommen Sie mit ins Bad.

KUBIN: Ich will nur …

BRUCH: Los. Kommen Sie. Keine Widerrede.

Beide gehen ab; die Bühne bleibt eine Zeit leer.

KUBIN *tritt auf, geht zu dem Schrank, dann zum Telefon, wählt eine Nummer*: Ja, den Doktor Sperling, bitte.

Rasch. – Rasch bitte. – Hier ist Geheimrat Bruch, bei Geheimrat Bruch. Ich brauch den Doktor Sperling. – Ein Notfall. Es eilt. – Wo ist er denn?

BRUCHS STIMME: Wo bleibt sie? Zum Donnerwetter, wo bleibt sie.

KUBIN *ins Telefon*: Ein Notfall. *Zu Bruch:* Ich suche nur die Handtücher heraus. Ich eile mich. *Ins Telefon:* Doktor Sperling soll sofort zu Geheimrat Bruch kommen. Sofort. – Es ist ein Notfall. Ein dringender Notfall. – Sagen Sie es ihm. Sonst passiert hier etwas Fürchterliches. *Sie legt den Hörer auf.* Ich komme schon. *Sie läuft zum Schrank, reißt Handtücher heraus, geht ab.*

Die Bühne bleibt leer; das Telefon klingelt mehrmals; als es still ist, treten Sperling und Manitlowski auf, Sperling trägt einen Karton mit Lebensmitteln, den er auf dem Tisch abstellt.

SPERLING: Haben Sie mir vor der Villa aufgelauert?

MANITLOWSKI: Nicht direkt. Aber es ist mir lieb, dass ich Sie getroffen habe. Ich brauche meine Lizenz zurück. Und allein möchte ich dem Alten jetzt nicht unter die Augen kommen. Es ist unangenehm. Unerfreulich. Es ist ausgesprochen dumm gelaufen.

SPERLING: Unerfreulich? Wollen Sie wissen, was ich von Ihnen halte, Herr Manitlowski?

MANITLOWSKI: Ersparen wir es uns. Einverstanden?

SPERLING: Sie sind ein Schwein. Sie sind ein verantwortungsloses Schwein.

MANITLOWSKI: Na, nun mal langsam, Herr Doktor. Bin ich an dem Schlamassel schuld? Was habe ich denn davon? Außer Spesen, nichts gewesen. Ich muss doch auch sehen, wo ich bleibe.

SPERLING: Sie haben Bruch nur benutzt. Ausgenutzt.

MANITLOWSKI: Ich wollte ihm helfen. Ihm eine Chance geben. Sie wissen doch auch, wie es um ihn steht.

SPERLING: Sie und Ihre Kliniklizenz. Sie sind lediglich ein Parvenü. Ein Raffke.

MANITLOWSKI: Lassen Sie Dampf ab, Doktor. Wie konnte ich ahnen, dass Bardenheuer den Sack nicht aufmachen will. Es ließ sich doch anfangs alles gut an.

SPERLING: Bardenheuer will mit einem wie Ihnen nichts zu tun haben. Und Bankier Kippenberger hat Sie rausgeschmissen.

MANITLOWSKI: Blasen Sie sich nicht auf. Wenn es geklappt hätte, wären Sie der Chef einer großen Klinik. Da hätten Sie mir die Füße geküsst.

SPERLING: Ihre Projekte, das ist heiße Luft. Schaumschlägerei. Sie sind nur ein armseliger Fantast. Und gerissen genug, mich und den Geheimrat schamlos auszunutzen.

MANITLOWSKI: Sie wussten doch genau Bescheid. Sie wussten doch, dass ich das Geld noch nicht beisammen habe.

SPERLING: Sie haben mit uns gespielt.

MANITLOWSKI: Ach was. Ich habe es versucht, und es ging schief. Und der Geheimrat, mein Gott, der ist so alt und klapprig, der wird gar nicht mitkriegen, dass Bardenheuer ausgestiegen ist. Sie müssen es ihm gar nicht erzählen.

SPERLING: Raus. Und mein Geld, jeden Pfennig bekomme ich von Ihnen zurück. Sonst bekommen Sie Ärger mit mir, Herr Manitlowski.

MANITLOWSKI: Spielen Sie sich jetzt nicht auf. Sie wussten doch Bescheid, Doktor, Sie hätten doch auch Ihren Nutzen gehabt. Aber noch ist nicht aller Tage Abend. Ich habe schließlich meine Lizenz, die ist Gold wert.

Und der Name vom alten Geheimrat, der klingt doch noch immer gut.

SPERLING: Raus. Verlassen Sie das Haus.

MANITLOWSKI: Ich brauche die Lizenz. Geben Sie mir meine Lizenz zurück, und ich verschwinde.

SPERLING: Ich weiß nicht, wo der Geheimrat Bruch sie hinlegte.

MANITLOWSKI: Er hatte sie auf das Büfett gelegt.

SPERLING: Nehmen Sie Ihre Finger weg. *Nimmt ein Papier vom Büfett hoch.*

MANITLOWSKI: Das ist sie. Geben Sie sie her. Das ist mein Eigentum.

SPERLING *gibt ihm das Papier*: Gehen Sie endlich.

MANITLOWSKI: Und ich bau meine Klinik, Doktorchen. Mit Bruchs Namen oder nicht, ich bekomme meine Klinik. Meine Empfehlung. Es hat nicht sollen sein. *Er geht ab.*

Sperling setzt sich erschöpft in einen Sessel; kurze Zeit später tritt Kubin mit einem Wäschebündel auf, sie will den Raum durchqueren, sieht die Lebensmittel und entdeckt dann Sperling.

KUBIN: Warum sind Sie denn nicht gekommen, Doktor?

SPERLING: Da bin ich doch.

KUBIN: Warum waren Sie denn nicht da, als wir Sie brauchten?

SPERLING: Als Sie mich brauchten? Was brauchen Sie? Ich habe ein paar Lebensmittel …

KUBIN: Als ich angerufen habe. Jetzt ist alles zu spät.

SPERLING: Was ist zu spät? Ich verstehe kein Wort, Frau Kubin. Was ist denn? Ist dem Chef etwas zugestoßen?

KUBIN: Der Chef … das Fräulein, ach … *Geht ab.*

SPERLING: Was ist denn? Was ist mit dem Chef? Wo ist er denn?

Bruch tritt auf, zieht die Schürze aus, wirft sie auf den Fußboden, setzt sich in einen der Sessel.

Guten Tag, Chef.

BRUCH: Da bist du ja. Mein Gott, bin ich müde.

SPERLING: Soll ich ein andermal wiederkommen?

BRUCH: Bleib. Es ist gut, dass du da bist.

SPERLING: Soll die Kubin Ihnen einen Tee machen? Soll ich sie rufen?

BRUCH: Bleib. Setz dich zu mir. Das ist heute kein guter Tag.

SPERLING: Wollen Sie sich hinlegen? Ich helfe Ihnen bei der Treppe.

BRUCH: Ach was. Du bist ein guter Mensch, Sperling. Und es war ein gutes Wochenende bei Bardenheuer. Alles wunderbar. Hat mir gefallen. Es ließ sich alles so gut an. Die Bruch-Klinik war fast schon zum Greifen nah. Und dann das hier. Plötzlich ist alles vorbei.

SPERLING: Sie wissen es schon, Chef?

BRUCH: Alles verschwunden. In einer einzigen Sekunde.

SPERLING: Hat Bardenheuer Sie angerufen?

BRUCH: Wovon redest du?

SPERLING: Dass alles vorbei ist. Bardenheuer zahlt nicht. Steigt nicht ein. Mit keinem Pfennig. Ihm ist Manitlowski zu unseriös.

BRUCH: Keine Klinik?

SPERLING: Wir haben kein Geld.

BRUCH: Keine Bruch-Klinik?

SPERLING: Nein, Chef.

BRUCH: Alles umsonst? Aber ich habe doch schon das Haus besichtigt. Das Cordula-Palais, die Bruch-Klinik.

SPERLING: Er hat uns reingelegt, dieser Manitlowski. Das ist ein Ganove. – Ihr Hemd ist blutig. Haben Sie sich verletzt?

BRUCH: Keine Klinik? Dann habe ich gar nichts mehr.

SPERLING: Dieser Manni, das war ein kleiner, windiger Geschäftemacher. Er hat uns sonst was erzählt. Alles Luftschlösser. Luftblasen. Und er versuchte Bardenheuer hinters Licht zu führen. So wie er es beim Bankier Kippenberger versucht hat.

BRUCH: Warum hast du das zugelassen, Jöngken?

SPERLING: Ich wollte Ihnen helfen, Chef.

BRUCH: Warum hast du mir das angetan?

SPERLING: Es hörte sich gut an, es klang seriös. Wie konnte ich ahnen … Was ist das? Sind Sie verletzt? Haben Sie sich geschnitten?

BRUCH: Was ist da? Blut? Nein, ich habe mich nicht verletzt. Ich kann doch noch mit dem Messer umgehen.

SPERLING: Der andere Ärmel ist auch blutig.

BRUCH: Keine Klinik? Keine Bruch-Klinik? Dann ist alles vorbei. Dann habe ich nichts mehr. Und wo soll ich operieren? Hier im Haus, Sperling? Bist du denn verrückt, das geht doch nicht. Das ist ausgeschlossen. Ganz ausgeschlossen. Das ist nur bei Notfällen möglich. Was habe ich dir beigebracht, Sperling? Nur bei dringenden Notfällen ist das erlaubt. Wie heute.

SPERLING: Sie haben operiert, Chef? Sie haben hier operiert?

BRUCH: Ich sag dir doch, das war ein Notfall. Und Bruch kneift nicht, wenn er gefordert ist. Bruch hat nie gekniffen.

SPERLING: Was haben Sie operiert? Wen?

BRUCH: Es war ein Sarkom. Ich vermutete einen Abszess, aber es war ein Sarkom. Morbus Hodgkin. Es war zu spät. Viel zu spät. Da war nichts mehr zu machen. Als ich es geöffnet hatte, da sah ich die Bescherung. Inoperabel.

SPERLING: Und Sie haben hier operiert? Hier? In Ihrem Haus, Chef?

BRUCH: Im Bad. Das ist groß genug.

SPERLING: In Ihrem Bad? Wer hat assistiert? Wer hat die Anästhesie gemacht? Welche Schwestern waren hier?

BRUCH *schreit*: Wer, wer, wer? Du fragst wie ein Idiot.

Kubin tritt auf.

Es war ein Notfall. Da konnte ich nicht warten, bis ich den Standard einer Klinik zur Verfügung habe.

SPERLING: Und der Patient? Kann ich ihn sehen?

BRUCH: Natürlich.

KUBIN: Das Mädchen liegt im Badezimmer.

BRUCH: Sieh dir die Geschwulst an. Inoperabel. Das ist ganz eindeutig. Da werden auch die Herren Pathologen nichts anderes feststellen können. Sieh es dir an.

Sperling geht ab.

KUBIN: Wollen Sie einen Tee? Oder einen Apfel?

BRUCH: Nein. Ich brauche nichts. Nein. Ich brauche gar nichts.

KUBIN: Wollen Sie sich hinlegen, Chef?

BRUCH: Wie spät ist es denn? Ist das denn schon so spät? Das kann noch gar nicht die Zeit sein. Aber müde bin ich.

KUBIN: Ich bringe Sie nach oben. Stützen Sie sich auf mich.

BRUCH: Inoperabel. Es war inoperabel.

KUBIN: Kommen Sie. Fassen Sie nur fest zu, ich vertrage etwas.

BRUCH: Es war zu spät. Viel zu spät.

SPERLING *tritt auf*: Mein Gott, Chef.

BRUCH: Hast du gesehen? Da war nichts mehr zu machen. Die Pathologie wird mich bestätigen. Wird alles vollständig bestätigen.

SPERLING: Ja, die Pathologie, ich werde sie benachrichtigen. Und die Klinik. Und das Gesundheitsamt. Das muss sein. Ich muss die Behörde benachrichtigen.

BRUCH: Jaja, mach das mal.

SPERLING: Das Mädchen ist schließlich verstorben, da muss ich das Gesundheitsamt informieren. Man wird Ihnen ein paar Fragen stellen, Chef. Und bitte gehen Sie nicht mehr ins Bad, ich habe es abgeschlossen. Das ist zu Ihrem Schutz.

BRUCH: Mach, was zu tun ist. Ich verlasse mich auf dich.

KUBIN: Sie können hier telefonieren, Doktor. Da steht der Apparat.

SPERLING: Vielen Dank, aber das geht nicht. Das kann ich nicht. Das kann ich nicht von hier aus. Ich melde mich bei Ihnen. Ich rufe an, sobald ich etwas weiß. Bis bald. *Geht ab.*

KUBIN: Kommen Sie. Die paar Stufen.

BRUCH: Haben Sie das Bad sauber gemacht?

KUBIN: Ein wenig. Sperling sagte, ich soll nichts anfassen. Erst müssen die Herren kommen und alles sehen.

BRUCH: Ja, diese Dummköpfe, diese Pathologen. Die wollen überprüfen, ob ich mich geirrt habe. Seit fünfzig Jahren überprüfen sie mich und haben noch nie einen Fehler gefunden. Noch nie. Nicht den geringsten.

KUBIN: Sie müssen sich jetzt hinlegen.

BRUCH: Unangenehm. Eine unangenehme Geschichte. Dem Kind war nicht zu helfen. Der Abszess war ein Sarkom. Aber natürlich, Exitus in meinem Haus, ein chirurgischer Eingriff ohne Anästhesisten, da werden diese Bürokraten Lärm schlagen. Es wird Ärger geben, Kubinchen, das sage ich Ihnen. Unangenehm. Da wird es wieder heißen, Bruch ist zu alt. Er soll zurücktreten. Soll den Jüngeren Platz machen. Wie die Geier. Aber es war inoperabel.

Kubin: Wir legen uns jetzt hin, und ich bringe Ihnen einen Tee ans Bett.

Bruch: Reden Sie nicht mit mir wie mit einem Kind. Und lassen Sie mich endlich los. Ich bin doch nicht hinfällig. Ich kann allein laufen. *Geht ab.*

Kubin: Mein Gott, so ein Unglück. Das junge Ding, das dumme, mit ihr war nicht zu reden. Sie ist wie blind in ihr Unglück gerannt. Es musste unbedingt der Geheimrat sein. Warum können sie den alten Mann nicht in Ruhe lassen. Und jetzt haben wir die Katastrofe. Das Badezimmer hat er mir abgesperrt. Ins eigene Badezimmer komme ich nicht mehr rein.

Das Telefon klingelt, Kubin nimmt den Hörer ab.

Bei Geheimrat Bruch. – Ja, Sie sind es, Doktor. – Ja, ich verstehe. – Er hat sich hingelegt. Er wird schlafen.

Bruch *tritt auf*: Das Telefon hat geklingelt. Ist es die Klinik? Schickt man den Wagen? Sagen Sie, ich bin bereit. Ich warte.

Kubin *ins Telefon*: Ja, natürlich. Keiner geht ins Bad. – Nein, der Chef ist wieder aufgestanden.

Bruch: Der Wagen soll kommen. Ich gehe und ziehe mir schon den Mantel über. *Geht ab.*

Kubin *ins Telefon*: Ich warte, bis Sie kommen, Doktor Sperling. – Ja, ich verstehe. Ein Herr vom Gesundheitsamt und zwei Herren aus der Klinik. – Aber warum denn ein Staatsanwalt? Was soll denn hier ein Staatsanwalt? – Ja, natürlich, aber muss das denn sein? Das wird doch den alten Herrn nur aufregen. – Ich verstehe. – Ich warte auf Sie, Doktor. – Auf Wiedersehen. *Sie legt den Hörer auf.* Ein Staatsanwalt. Ich bin nur froh, dass Gloria das nicht erleben muss.

BRUCH *tritt auf, mit Mantel und Hut, setzt sich in einen Sessel*: Wenn der Wagen da ist, geben Sie mir Bescheid.

KUBIN: Welcher Wagen denn, Herrgott?

BRUCH: Welcher Wagen! Der von der Klinik selbstverständlich. Sie haben doch angerufen. Ich muss in die Klinik. Ich muss operieren.

KUBIN: Der Doktor Sperling kommt gleich zu uns. Er war es, er hat angerufen.

BRUCH: Der Sperling muss warten. Dafür habe ich jetzt keine Zeit.

KUBIN: Er muss Sie sprechen. Er kommt mit mehreren Herren, die Sie auch sprechen wollen. Die Sie sprechen müssen.

BRUCH: Dann müssen sie eben warten. Sie müssen alle warten. Die Klinik ruft, die Patienten, das geht vor. Dafür ist Bruch bekannt, dass die Patienten bei ihm an erster Stelle stehen. Irgendwelche Herren, die können warten. Und wenn der Minister persönlich kommt. Muss warten. Zuerst die Patienten. Sie gehen vor die Tür, und wenn der Wagen kommt, Kubinchen, sagen Sie mir Bescheid. Unverzüglich. *Schläft im Sessel ein.*

KUBIN: Wenn der Wagen vorfährt, gebe ich Ihnen Bescheid.

IN ACHT UND BANN

Komödie in einem Akt

PERSONEN

Artus
Keie
Orilus
Parzival
Lancelot
Uta, *eine Krankenschwester*
Ein stummer Ritter

Ort der Handlung

Der Innenhof einer Zitadelle, rechts und links hohe Mauern mit kleinen Fenstern in den höheren Stockwerken. Rechts ist eine Tür. An der Rückfront ist eine Mauer mit einem zweiflügligen eisernen Tor. In einem der Torflügel ist eine Tür eingeschnitten mit einer Sichtklappe. Im Hof rechts ist ein gepflegtes Blumenbeet, links ein kleiner runder Tisch mit vier festverankerten Hockern. An der linken Mauer hängt ein verschlossener Eisenschrank mit einem aufgemalten Rot-Kreuz-Zeichen.

Eine Glocke läutet schrill und anhaltend. Kurze Zeit danach tritt Parzival durch die rechte Tür auf, betrachtet prüfend den Himmel und geht dann zum Blumenbeet, um dort zu arbeiten.

Nach ihm tritt Artus durch die Tür und grüßt Parzival freundlich. Parzival grüßt ebenso freundlich und stumm zurück. Artus nimmt seinen Hofrundgang auf.

Keie und Lancelot erscheinen gemeinsam mit Mappen, Zeitungen und Büchern und gehen zu dem runden Tisch mit den Hockern. Sie übersehen Parzival geflissentlich und wenden sich demonstrativ von Artus ab, als sie an ihm vorbeikommen.

Danach tritt Orilus durch die Tür rechts auf, mit Aktenordnern und einem Buch. Er macht Streck- und Atemübungen, während er zu dem runden Tisch läuft, wo Keie und Lancelot ihn erwarten. Als Orilus an Artus vorbeigeht, spuckt er aus.

ORILUS *geht an Parzival vorbei:* Verräter! *Geht zu Keie und Lancelot.*

KEIE *setzt sich mit Lancelot und Orilus an den runden Tisch:* Drei Minuten nach zehn. Die Kabinettssitzungen haben pünktlich zu beginnen. Mit dem Ertönen des Klingelzeichens. Mit Disziplinlosigkeiten ist ein Staat nicht zu führen.

ORILUS: Und wenn du nicht etwas mehr für deine Gesundheit tust, kannst du ihn bald auch nicht mehr führen.

LANCELOT: Bitte keine Privatissima. Zur Tagesordnung, bitte.

KEIE: Orilus, ich darf dich bitten, das Protokoll zu führen.

ORILUS: Ich schon wieder?

KEIE: Es geht streng der Reihe nach. So lange wir unter diesen Einschränkungen zu arbeiten haben, müssen wir es lernen, mit Provisorien umzugehen. In der gebotenen Würde mit ihnen umzugehen. Zur Tagesordnung. Punkt eins bitte, Orilus.

LANCELOT: Ein Antrag zur Tagesordnung.

ORILUS: Nein. Vor der Tagesordnung und vor jedem Antrag zur Tagesordnung bestehe ich darauf, dass die Kabinettssitzungen mit einem Gebet beginnen.

KEIE: Das ist lächerlich, Orilus. International ist das völlig unüblich.

ORILUS: Ich bestehe auf einem Gebet.

LANCELOT: Ich möchte dir nicht zu nahe treten, Verzeihung, aber ich denke doch, es ist deine Privatangelegenheit, dass du neuerdings gläubig geworden bist.

ORILUS: Ich habe zu meinem Gott zurückgefunden. Zu unserem Gott. Ich hatte eine Erleuchtung. Und ich bete jeden Tag, dass sie auch euch zuteil wird, liebe Brüder in Christo.

KEIE: Du bist ein Idiot, Orilus. Verzeihung, aber man wird ja einmal die Wahrheit sagen dürfen.

ORILUS: Ich bestehe darauf, dass wir mit einem Gebet beginnen. Das hat überhaupt nichts mit mir zu tun. Das ist eine Frage von Kultur, von Anstand, von Gesittung. Wir müssen zu den Wurzeln zurückfinden, zum Volk, zum Ursprung. Der Glaube ist eine existenzielle Frage unserer jahrhundertealten Volksseele. Artus hat das sträflich vernachlässigt. Artus! *Spuckt aus.*

KEIE: Schön. Stimmen wir ab.

ORILUS: Und international wäre es ein Zeichen. Wir würden der Welt ein Beispiel geben. Selbst von hier aus, trotz aller Beschränkungen. Die einzige Kabinettssitzung der Welt, die mit einem Gebet begonnen wird. Ein Vorbild.

LANCELOT: Wir wären nicht die Einzigen. Durchaus nicht. Im Osmanischen Reich werden die Kabinettssitzungen sogar mit einem Gottesdienst begonnen. Das Kabinett hat einen eigenen Seelsorger.

ORILUS: Da hörst du es, Keie. Das sind noch Volksvertreter.

KEIE: Einen eigenen Anstaltsgeistlichen haben wir immerhin schon.

ORILUS: Einen einfachen Priester! Ein Staatskabinett hat einen Anspruch auf einen eigenen Bischof.

LANCELOT: In Diplomatenkreisen heißt es aber auch, das Osmanische Reich habe so viel Weihrauch nötig. Zusammen mit den Tataren nimmt es seit dem Ende des Artus-Reiches auf der Liste der Menschenrechtsverletzungen den führenden Platz ein.

KEIE: Was sagt denn dein kluges Buch dazu, dieser Immanuel Morus mit seinem Kleinen Handbuch für Volksvertreter?

ORILUS *blättert in dem Buch, liest vor*: Gottesdienste im Parlament, schreibt er, sind dringend angebracht vor einem Krieg. Des Weiteren nach einem Krieg, gleichgültig, ob gewonnen oder verloren. Und vor der Verabschiedung von Gesetzen, bei denen Menschenrechtsverletzungen bedauerlicherweise unumgänglich sind.

LANCELOT: Gebete sind also nicht üblich. Das sagt selbst der Kleine Morus.

KEIE: Stimmen wir ab. Wer ist für ein Gebet?

Orilus hebt die Hand.

Wer ist dagegen?

Keie und Parzival heben ihre Hand.

Protokolliere bitte: das Kabinett verwirft mit Zweidrittel-Mehrheit den Antrag auf ein Gebet.

ORILUS: Über ein Gebet kann man nicht abstimmen. Ich protestiere. Wo bleibt da die Religionsfreiheit!

LANCELOT: Ich biete einen Kompromiss an. Ich beantrage, dass die Kabinettssitzungen mit einer Schweigeminute eröffnet werden. Dann kann, wer will, beten, und alle anderen können sich derweil auf die Sitzung vorbereiten.

KEIE: Einverstanden. Ich stelle den Antrag zur Abstimmung. Wer ist dafür?

Keie und Lancelot heben ihre Hand.

Wer ist dagegen?

Orilus hebt die Hand.

Ins Protokoll: der Antrag auf eine die Kabinettssitzungen eröffnende Schweigeminute wurde mit einer Zweidrittel-Mehrheit im Kabinett angenommen.

ORILUS: Unter Protest.

KEIE: Ja, natürlich. Das ist ja damit vermerkt. Also, die Schweigeminute.

Keie und Lancelot lehnen sich zurück, Orilus betet kniend.

ARTUS *bleibt bei dem im Blumenbeet arbeitenden Parzival stehen*: Prächtig. Wunderbar. Du hast einen grünen Daumen. So heißt das doch, oder?

PARZIVAL: Wenn man jeden Tag eine Stunde im Garten arbeitet, muss es langsam etwas werden. Allerdings fehlt die Sonne. Nur im Juni bekommen meine Beete eine halbe Stunde Sonne ab. Das ist zu wenig.

ARTUS: Ja, das ist ärgerlich. Deine Blumen haben schließlich nichts verbrochen. Ihnen sollte man die Sonne gönnen. Das Staatskabinett tagt wieder.

PARZIVAL: Ich habe es bemerkt.

ARTUS: Jeden Tag. Jeden Tag tagt das Kabinett. Wir hatten damals einmal in der Woche Kabinettssitzung. Manchmal nur alle vierzehn Tage. Und selbst das war viel zu viel. Wenn wir nicht jedes Jahr drei Monate Sommerpause gemacht hätten, wir wüssten gar nicht, worüber wir reden sollen.

PARZIVAL: Sie sind nur zu dritt. Nur drei Personen für sämtliche Ressorts. Damals waren wir über zwanzig Minister.

ARTUS: Zweiundzwanzig. Mit mir dreiundzwanzig.

PARZIVAL: Und während des Krieges hatten wir auch täglich Sitzung.

ARTUS: Ja, während des Krieges. Da gab es auch jeden Tag eine neue Lage. Besonders zum Ende hin. Was ist das? Ist das essbar?

PARZIVAL: Nein, das ist Fingerkraut.

ARTUS: Warum baust du nicht etwas Essbares an? Gemüse, etwas Salat?

PARZIVAL: Das ist langweilig. Ich bin kein Bauer, sondern Gärtner, Künstler. Ich will keine Nutzpflanzen. Was ich will, ist Schönheit. Aber wenn du es willst, bau ich für dich etwas Salat an.

ARTUS: Nein, ich möchte keine Bevorzugung. Keine Privilegien.

PARZIVAL: Es macht mir keine Mühe.

KEIE: Können wir endlich beginnen?

ORILUS: Bitte. Das Gebet hat mich gestärkt. Ich fühle mich gereinigt und erquickt.

KEIE: Rein und unbesiegbar, das hatten wir schon einmal. Kurz vor der Katastrofe.

ORILUS: Das ist Blasfemie. Ich erlaube keinem …

LANCELOT: Zum Thema, bitte. Wir haben Kabinettssitzung. Etwas mehr Disziplin, wenn ich bitten darf.

91

PARZIVAL: Sag, was du haben möchtest. In zwei, drei Monaten kannst du es dir ernten.

ARTUS: Danke, nein. Ich esse, was alle bekommen.

PARZIVAL: Oder fürchtest du, dass ich dich umbringen will? Dass ich für dich Gift anbaue?

ARTUS: Gift? Für ein gutes und rasch wirkendes Gift würde ich dir meine Monatsration an Zigaretten geben.

LANCELOT: Antrag zur Tagesordnung.

KEIE: Bitte.

LANCELOT: Ich stelle den Antrag, mir das Energieministerium abzunehmen.

KEIE: Mit welcher Begründung?

LANCELOT: Ich sehe mich nicht in der Lage, in angemessener Form und mit der nötigen Sorgfalt auch noch dieses Ministerium zu leiten.

ORILUS: Jeder von uns hat vier Ministerien zu verwalten.

LANCELOT: Ich habe fünf.

ORILUS: Dann legen wir das Energieministerium mit deinem Bauministerium zusammen, dann hast du auch nur noch vier. Wie wir alle.

LANCELOT: Es ist zu viel, Keie. Es ist nicht zu schaffen. Ein Kabinett mit drei Kabinettsmitgliedern für sämtliche Ressorts, das ist Wahnsinn.

KEIE: Das ist doch nur vorübergehend. Ein unumgängliches Provisorium. Du brauchst doch nur einen Blick in die Zeitung zu werfen: es wird sich sehr bald sehr viel ändern. Überall ist man unzufrieden. Das Volk ist verbittert. Die großen Versprechungen haben sich als heiße Luft erwiesen. Man braucht uns. Ich erwarte, dass man uns bereits innerhalb der nächsten zwei Monate offiziell mit der Regierungsbildung beauftragen wird. Das ist heute schon absehbar. Und darauf müssen wir vorbereitet sein.

LANCELOT: Das Volk ist immer unzufrieden. Die waren auch damals mit uns unzufrieden, mit Artus. Ein unzufriedenes Volk, das besagt gar nichts.

KEIE: Mit Artus war man unzufrieden. Mit mir nicht. Mir kann keiner etwas vorwerfen. Und ich bin nicht bereit, die Schulden von Artus zu bezahlen.

ORILUS: Ja, für das Artus-Reich muss Artus den Kopf hinhalten. Ich war ja überhaupt nicht über alles informiert. Die wirklich schlimmen Dinge, diese ganzen Details, diese entsetzlichen Verbrechen, mein Gott, davon wusste ich überhaupt nichts. Eigentlich konnte mich das Gericht gar nicht verurteilen. Das war Willkür. Unwissenheit schützt vor Strafe nicht, haben sie gesagt. Auf diesem albernen Kinderspruch beruht meine Verurteilung. Juristisch sehr umstritten, das hat mein Anwalt klipp und klar gesagt. Das musste selbst das Gericht einräumen. Ein Urteil mit Fragezeichen, hat der Richter gesagt. Und moralisch wurde ich eigentlich freigesprochen.

LANCELOT: Ja, aber nur moralisch. Und darum sitzt du auch hier.

ORILUS: Jedenfalls fühle ich mich nicht schuldig.

KEIE: Bitte, Lancelot, überlege es dir noch einmal. Wenn du bei deiner Entscheidung bleibst, muss ich das Ministerium auch noch übernehmen.

ORILUS: Fünf Ministerien und außerdem noch Kabinettschef. Dann wärst du der Mächtigste von uns dreien.

ARTUS: Das ist eine hübsche Blume. Was ist das?

PARZIVAL: Das ist Mädchenauge.

ARTUS: Mädchenauge, sehr schön. Ich wusste gar nicht, dass du dich mit Blumen so gut auskennst. So viele Jahre haben wir gemeinsam verbracht, aber ich wusste es nicht.

PARZIVAL: Wir hatten nie die Gelegenheit, über Blumen zu sprechen.

ARTUS: Ja, es gab immer viel zu tun. Viel zu viel. Die Muße fehlte uns. Für mich ist das hier richtig erholsam. Ich schlafe mich aus. Ich schlafe jeden Tag acht Stunden. Das konnte ich mir früher nie erlauben. Acht Stunden, undenkbar damals. Und wenn ich endlich ins Bett kam, konnte ich nicht einschlafen. Die Verantwortung für alles, das war noch erdrückender als die Arbeit selbst.

PARZIVAL: Ja, schlafen können wir jetzt ausreichend. Wenn wir wollen vierundzwanzig Stunden am Tag.

ARTUS: Du und ich, ja, aber die drei haben zu tun. Ich bin froh, dass ich die ganze Scheiße vom Hals habe.

PARZIVAL: Nie wieder, Artus?

ARTUS: Nie wieder. Weißt du, wovon ich mein ganzes Leben lang geträumt hatte, damals, im Artus-Reich?

PARZIVAL: Einmal Urlaub machen? Wie der einfache kleine Mann, stimmts?

ARTUS: Ich war viel bescheidener. Ich träumte davon, einen ganzen Tag im Café zu sitzen und Zeitungen zu lesen. War nicht möglich.

PARZIVAL: Dafür hast du jetzt ausreichend Gelegenheit. Nun kannst du den ganzen Tag lang Zeitung lesen.

KEIE: Du überlegst dir den Antrag noch einmal? Einverstanden, Lancelot? Bitte.

LANCELOT: Ich schaffe es nicht, Keie.

KEIE: Ich wollte es eigentlich noch nicht mitteilen, aber die Umstände zwingen mich dazu. Als Kabinettschef habe ich vorgestern eine Urkunde unterzeichnet, wonach Lancelot am Tag unserer Regierungsübernahme den Ritterorden vom Heiligen Gral mit Schwertern erhält. Das ist die höchste Auszeichnung, die meine Regierung zu vergeben hat.

LANCELOT: Orden habe ich mehr als genug, Keie. Artus hat uns ja damals alle mit Orden überhäuft.

ORILUS: Über diese Ordensvergabe wurde nicht abgestimmt.

KEIE: Über die Verleihung des Ritterordens vom Heiligen Gral entscheidet der Kabinettschef souverän. Darum ist es ja die höchste Auszeichnung.

ORILUS: So? Wir haben aber auch nicht über die Statuten dieses Ordens abgestimmt.

KEIE: Natürlich nicht. Der Orden ist autark. Seine Verleihung gehört zum Portefeuille des Kabinettschefs.

ORILUS: Wie sieht er denn aus, dieser autarke Orden? Hat er eine Devise?

KEIE: Ja. Immota fides, unerschütterliche Treue.

ORILUS: Das ist nicht originell. So einen habe ich damals von Artus bekommen. Und wieso bekommt Lancelot den ersten Orden? Bist du mit meiner Arbeit nicht zufrieden? Gab es Beschwerden über eins meiner Ministerien?

KEIE: Geduld, Orilus. Meine endgültige Entscheidung über die Ordensverleihung werde ich zur gegebenen Zeit veröffentlichen. – Lancelot, überlege es dir noch einmal. Wir sprechen nächste Woche darüber, einverstanden? Beginnen wir mit der Kabinettssitzung. Unsere Hymne.

KEIE, LANCELOT und ORILUS *singen*:

> Wenn froh die Welt zur Frühlingszeit
> Erwacht zu neuem Leben
> Stehn wir zu neuem Kampf bereit
> In edlem Ritterstreben.
> Denn keiner ist zum Ruhm bestimmt
> Eh er nicht Hiebe gibt und nimmt.

KEIE: Und nun zur Tagesordnung. Bitte, Orilus.

ORILUS *liest vor*: Punkt eins: die ausländischen Beziehungen.

KEIE: Hat einer von euch diplomatische Noten erhalten?

Hinter der Mauer erfolgt eine Wachablösung; man hört für einen Moment Marschtritte, das Klirren von Eisen und eine unverständliche, befehlende Stimme.

ORILUS: Nein, nichts. Mir schreiben nur ein paar Ritter, die uns auffordern durchzuhalten. Und dann die üblichen anonymen Schmähbriefe. Dass man mich aufhängen will undsoweiter. Unglaublich unverschämte Briefe. Wenn so das ganze Volk ist, na dann vielen Dank. Wenn wir unsere Regierung installiert haben, sollten wir unbedingt versuchen, diese anonymen Briefschreiber herauszubekommen. Jedenfalls hebe ich mir alle diese Briefe gut auf.

KEIE: Und du, Lancelot?

LANCELOT: Nichts.

KEIE: Wir haben neunundachtzig Staaten die Aufnahme diplomatischer Beziehungen angeboten und nicht eine einzige Antwort erhalten. Nicht einmal das Osmanische Reich fühlt sich bemüßigt zu reagieren.

ORILUS: Das werden wir uns alles merken.

LANCELOT: Hattest du dich auch an Klingsor gewandt?

KEIE: Natürlich. Ich habe diesem widerlichen Reaktionär besonders höflich und zuvorkommend geschrieben.

ORILUS: Und? Keine Antwort?

KEIE: Nun spielt er natürlich den großen Mann, diese verkommene Ratte. Damals hätte er uns am liebsten die Füße geküsst.

LANCELOT: Damals. Da reichte das Artus-Reich von Sonnenaufgang bis Sonnenuntergang. Da hat die halbe Welt vor uns auf den Knien gelegen.

KEIE: Und die andere Hälfte ist uns in den Hintern gekrochen.

ORILUS: Vielleicht hält man die Briefe zurück? Die Regierungen antworten uns, aber die Gefängnisleitung beschlagnahmt die Post? Das wäre immerhin möglich. Mordret traue ich das zu. Und das würde einiges erklären.

LANCELOT: Ach was, diese Politiker hängen ihr Mäntelchen in den Wind, Orilus. Gestern noch waren sie unverbrüchliche Kampfgefährten, wollten eine ewige Allianz mit uns schmieden. Und heute kennen sie uns nicht mehr.

KEIE: Ja, jetzt sind sie plötzlich mutig geworden. Wenn wir wieder die Macht haben, werden sie vor uns kriechen, du wirst sehen. Punkt eins ist erledigt. Besser gesagt, aufgeschoben. Gibt es Einspruch? Dann kommen wir zum nächsten Punkt der Tagesordnung. Bitte, Orilus.

ORILUS *liest vor*: Punkt zwei: das Elend des Volkes.

KEIE: Das Elend des Volkes, ist damit von euch jemand vertraut? Kennt sich jemand von euch damit aus?

LANCELOT: Ich weiß nur, was in der Zeitung steht.

KEIE: Das kennen wir auch.

LANCELOT: Das Elend des Volkes schreit zum Himmel, habe ich irgendwo gelesen.

ORILUS: So etwas schreiben die immer. So etwas haben die auch über das Artus-Reich geschrieben. Das Elend des Volkes schreit wahrscheinlich fortwährend zum Himmel.

LANCELOT: Gab es bei uns Elend, Keie? Damals, im Artus-Reich?

KEIE: Nein. Nicht dass ich wüsste.

ORILUS: Bei uns gab es kein Elend. Das war verboten.

Ging es dir damals schlecht, Keie? Oder dir, Lancelot? Mir ging es prächtig. Keine Spur von Elend.

KEIE: Bei einem so befremdlichen Thema müssten wir uns irgendwie unterrichten lassen. Wir können schließlich nicht alle abwegigen Kuriositäten kennen. Wir bräuchten einen Referenten.

ORILUS: Ich brauche vor allem eine Sekretärin.

LANCELOT: Über das Elend des Volkes kannst du alles in der Zeitung lesen. Jetzt dürfen sie ja schreiben, was sie wollen.

ORILUS: Und so sieht das auch aus.

LANCELOT: Bitte. Hier. Ein ellenlanger Bericht. *Verteilt Zeitungen an Keie und Orilus.*

ARTUS: Die drei sind fleißig.

PARZIVAL: Ja, sie haben zu tun. Das Kabinett tagt unaufhörlich.

ARTUS: Mich wollten sie nicht. Hat man dir ein Ministerium angeboten?

PARZIVAL: Nein.

ARTUS: Warum eigentlich nicht?

PARZIVAL: Ich bin der Verräter, das weißt du doch.

ARTUS: Und ich bin der Hauptschuldige. Da haben wir doch eine Aufgabe.

PARZIVAL: Ja, wir zwei sind nicht völlig nutzlos. Man braucht uns noch.

ARTUS: Sag mal, ist das tatsächlich deine Überzeugung, was du vor Gericht erklärt hast?

PARZIVAL: Was meinst du?

ARTUS: Dass du über unsere Taten nicht informiert warst. Dass wir hinter deinem Rücken Verbrechen geplant und ausgeführt hätten. Dass du Tag und Nacht nur daran gedacht hast, mich durch ein Attentat zu beseitigen, um das Reich zu retten. Undsoweiter, du weißt schon.

PARZIVAL: Nun ja, versteh mich bitte richtig, Artus. Du darfst natürlich nicht jedes Wort auf die Goldwaage legen.

ARTUS: Ist das deine Überzeugung?

PARZIVAL: Ich will mit dir nicht über Einzelheiten streiten, aber im Großen und Ganzen: ja.

ARTUS: Das überrascht mich. Du hattest nie darüber gesprochen. Ich meine, früher, als ich noch im Amt war.

PARZIVAL: Wie denn? Ich wusste ja nichts davon. Ich habe das alles erst in der Gerichtsverhandlung erfahren. Und außerdem hatte ich es euch mehrmals angedeutet, aber damals wolltet ihr mich ja nicht verstehen. Es war auch schwer, darüber zu sprechen. Auch jetzt, vor Gericht, es ist mir nicht leicht gefallen, gegen dich auszusagen. Das kannst du mir glauben.

ARTUS: Das habe ich bemerkt.

PARZIVAL: Das freut mich, Artus.

ARTUS: Ich habe gesehen, du hast richtig geschwitzt. Und einmal bist du sogar rot geworden.

KEIE: Das ist scheußlich, was hier steht. Es muss wirklich ekelhaft sein, wenn man arm ist. Hast du das gelesen?

LANCELOT: Ja.

KEIE: Hast du gelesen, wie die wohnen? Meinst du, diese sogenannten Armen wohnen tatsächlich in solchen Hütten?

LANCELOT: Nur die reichen Armen. Die armen Armen haben keine Hütten.

KEIE: Und wo wohnen die? In richtigen Häusern?

LANCELOT: Auf der Straße. Unter den Brücken.

KEIE: Mir wird ganz übel, wenn ich das höre. Ist das wahr, Lancelot? Oder denken sich das die Presseleute nur aus? Die Presse ist doch eine verlogene Bande. Für Geld schreiben die dir, was du willst. Ich selbst habe sie oft genug bezahlen müssen, damit sie schreiben, was ich lesen will.

LANCELOT: Manchmal schreiben sie auch etwas, obwohl sie keiner bestochen hat. Die Armen haben dafür kein Geld.

KEIE: Das ist unglaublich. Wieso erlaubt man so etwas? Warum verbietet Mordret nicht die Armut? Dann wäre sie aus der Welt.

ORILUS: Weil der Junge dumm ist. Ich schlage vor, dass wir den Tagesordnungspunkt beenden mit dem Beschluss, unmittelbar nach der Regierungsübernahme die Armut zu verbieten. Und wir gestatten keine Ausnahmen. Wir wollen nur wohlhabende Bürger.

KEIE: Ich habe ohnehin nie verstanden, wozu es Elendsquartiere gibt. Wir haben in unserer Heimat so entzückende Landschaften, an der See, im Gebirge. Und überall stehen Häuser leer.

ORILUS: Gibt es Einspruch? Dann protokolliere ich es.

PARZIVAL: Das musst du mir glauben, Artus, von den ganzen Details wusste ich nichts.

ARTUS: Welche Details?

PARZIVAL: Na, diese ganzen fürchterlichen Verbrechen vom Artus-Reich. Von diesen Details hatte ich überhaupt keine Ahnung. Davon habe ich im Prozess zum ersten Mal gehört. Diese scheußlichen Details. Ich war entsetzt.

ARTUS: Aber wir haben doch alles in der Tafelrunde besprochen, jede Maßnahme.

PARZIVAL: Ich habe nicht an allen Sitzungen teilgenommen, das weißt du. Und das hat mein Anwalt vor Gericht nachgewiesen. Außerdem war ich mit meinen Ressorts beschäftigt: die gesamte Kriegswirtschaft, die Betriebe, der Straßenbau, da konnte ich mich nicht noch um irgendwelche anderen Details kümmern. Und in meinen Ressorts war alles in Ordnung. Das hat auch das Gericht bestätigen müssen.

ARTUS: Ja, darum hast du auch nur zwanzig Jahre bekommen und nicht lebenslänglich wie wir.

PARZIVAL: Ich kannte die Details wirklich nicht, Artus. Wenn ich auch nur ein Wort davon erfahren hätte, das hätte ich doch nie zugelassen. Das hat doch mein Anwalt sehr überzeugend beweisen können, nicht wahr? Während der Gerichtsverhandlung sind mir ja die Tränen gekommen, als ich von diesen Details hörte. Hast du das nicht bemerkt?

ARTUS: Das haben alle gesehen, Parzival. Sie waren alle beeindruckt, als du geweint hast.

PARZIVAL: Ich konnte ja nichts tun gegen euch. Weil ich nichts wusste. Und in der Artus-Runde war ich im Grunde in der inneren Emigration. Ich gehörte nicht zum Widerstand, aber zur inneren Emigration.

ARTUS: Ihr wart alle dagegen, wie? Ich merke schon, ich habe alles allein gemacht. Nun, zumindest muss ich damals sehr fleißig gewesen sein.

PARZIVAL: Nimm es bitte nicht persönlich, Artus. Das ist nicht dein Stil, das wäre kleinbürgerlich. Schließlich hatten wir uns nicht nur vor dem Gericht, sondern vor der Geschichte zu verantworten. Da sind persönliche Rücksichtnahmen nicht angebracht. Da geht es um die Wahrheit, die ganze Wahrheit und nichts als die Wahrheit.

ARTUS: Gewiss. Was sein muss, muss sein.

PARZIVAL: Ja. Immer die Wahrheit und stets aufrichtig. Unser alter Grundsatz, nicht wahr. Ich bin froh, dass du es mir nicht übel nimmst. Für die dort bin ich nur ein Verräter.

ARTUS: Du musst sie verstehen, Parzival. Aus ihrer Sicht war es Verrat.

PARZIVAL: Ich habe lange darüber nachgedacht, Artus. Es ist schwer einzusehen, dass Verrat ehrenhaft sein kann und Treue falsch. Man braucht viel Lebenserfahrung, bevor man das begreift.

ARTUS: Nun ja, Verrat zählte nicht eben zu den Rittertugenden. Du weißt ja, immota fides, unerschütterliche Treue, das war unser Gebot.

PARZIVAL: In Treue fest, gewiss, aber doch nicht immerfort zur gleichen Sache. Was sich nicht biegen lässt, bricht. Wenn unsere heilige Aufgabe verloren ist, muss man sich ändern. Auch die Treue muss sich unerschütterlich ändern.

ARTUS: Du warst immer uns allen voraus, Parzival.

PARZIVAL: Wir leben schließlich nicht mehr im vorigen Jahrhundert. – Unter uns, Artus, ich verstehe überhaupt nicht, wieso das Gericht Keie am Leben ließ. Wenn einer an den Galgen gehört, dann ist das Keie.

ARTUS: Das überrascht mich. Und wie ist es mit mir? Ich denke, ich bin der Hauptschuldige. Willst du mich da nicht zuerst aufhängen lassen?

PARZIVAL: Werde jetzt bitte nicht persönlich, Artus. Nein, aufknüpfen lassen würde ich Keie. Der war der Schlimmste.

ARTUS: Du kannst dich ja beschweren. Mach eine Eingabe. Geh in die nächste Instanz.

PARZIVAL: Ich bitte dich. Wie sähe denn das aus. Sag mal, ich wollte hier noch etwas Winterfestes hinsetzen. Was meinst du, was müsste hierher?

ARTUS: Ich weiß nicht. Ich kenne mich da nicht aus.

PARZIVAL: Ich meine, welche Farbe müsste hierher? Blau oder Gelb?

ARTUS: Blau wäre sehr schön.

PARZIVAL: Ich denke, ich werde Gelb hierhin setzen, den Winterjasmin. Das gibt dann einen schönen Kontrast zu den Alpenveilchen.

ARTUS: Klingt viel versprechend.

ORILUS: So. Protokolliert wie beschlossen.

LANCELOT: Wir könnten einen öffentlichen Appell an Mordret richten, die Schatzkammern des Reiches zu öffnen und das Gold an die Bedürftigen zu verteilen.

KEIE: Das wäre eine extraordinäre Maßnahme. Was sagt denn der Kleine Morus dazu, unser Handbuch?

ORILUS: Davon rät er dringend ab. Wenn man das Gold verteilt hat, schreibt Immanuel Morus, ist es weg. Und die Armen, schreibt er weiter, sind arm, weil sie nicht sparen können.

KEIE: Meine Vermutung. Es gibt Statistiken, die beweisen, dass die sogenannten Armen nicht einmal ein Konto haben. Die wollen gar nicht sparen. Leben nur in den Tag hinein. Immer nach der Devise: wie gewonnen, so zerronnen.

LANCELOT: Vielleicht bin ich zu filantropisch eingestellt.

ORILUS: Schlimmer als das Elend des Volkes, schreibt Morus, wäre ein Elend der Regierung. Wenn wir das Gold verteilen, könnten wir künftig weder die Volkswohlfahrt noch unsere eigenen Gehälter bezahlen.

LANCELOT: Ich habe ein zu weiches Herz. Mich rührt das Elend des Volkes.

ORILUS: Und außerdem, schreibt Morus, würden es Weltbank und Internationaler Währungsfonds nicht gern sehen.

KEIE: Wer leitet das Kabinett, die Weltbank oder ich?

LANCELOT: Das ist eine interessante Frage, Keie. Bist du dir sicher, dass du die Antwort hören willst?

KEIE: Na gut, dann lassen wir das.

ORILUS: Warum denn? Was ist denn mit der Antwort?

KEIE: Ich kann auch nicht an Mordret appellieren. Wir haben seine so genannte Regierung nicht anerkannt. Diese Marionette Klingsors ist für uns nicht satisfaktionsfähig. Wir kommen zum nächsten Punkt. Orilus, bitte.

ORILUS *liest vor*: Punkt drei: über den unhaltbaren und entwürdigenden Zustand der Unterbringung, Verpflegung und finanziellen Ausstattung der Mitglieder des Kabinetts Keie.

KEIE: Wieso ist das Punkt drei? Vorige Woche war es wenigstens noch Punkt zwei. Und Anfang des Jahres war es sogar monatelang Punkt eins.

ORILUS: Ich weiß nicht. Ich habe die Tagesordnung nicht festgelegt.

LANCELOT: Ich kann auch nichts daran ändern. So steht es im Kleinen Morus.

KEIE: Müssen wir uns denn immerzu nach diesem Handbuch für Volksvertreter richten? Unter Artus haben wir auf den Immanuel Morus gepfiffen.

LANCELOT: Das war eine Diktatur, das weißt du doch selbst. Jetzt haben wir Demokratie. Da müssen wir uns alle streng an die Spielregeln halten. Der Kleine Morus schreibt, dass die Diskussion über die Gehälter und Diäten der Volksvertreter nie an der ersten Stelle einer Tagesordnung stehen darf.

ORILUS: Ohne ordentliche Diäten kann eine Regierung nicht arbeiten. Man hat doch Ausgaben, Frau und Kinder.

KEIE: Ja, darum ist dir Jeschute auch davongelaufen. Die Kasse war leer, und das Vögelchen flog davon.

ORILUS: Jeschute ist noch ein junges Blut, sie will leben.

Sie feiert eben gern. Nur darum hat sie mich verlassen, weil ich nicht mehr mit ihr ausgehen kann.

KEIE: Sie ist auch früher gern ohne dich ausgegangen, mein lieber Orilus.

LANCELOT: Jedenfalls ist es nicht demokratisch, schreibt der Kleine Morus, immer zuerst an sich zu denken. In einer Demokratie spricht man über die finanzielle Ausstattung der Volksvertreter erst dann, wenn alle Sparmaßnahmen abgeschlossen sind, schreibt er. Und auch dann habe man es möglichst diskret auszuhandeln.

KEIE: Verweichlichte Schlappschwänze! Wie will man einen Staat leiten, wie will man einem Volk Ordnung beibringen, wenn bereits eine einfache Tagesordnung eine solche Verwirrung der Kategorien aufweist? Was geben wir dem Volk draußen im Land für ein Beispiel? Wie soll der kleine Mann auf der Straße da noch Prioritäten erkennen können? Wie will man der Jugend noch Werte vermitteln?

LANCELOT: Bitte, es ist deine Regierung. Es ist dein Kabinett. Aber so stehts im Kleinen Morus.

UTA *tritt auf durch die Tür im Torflügel*: Guten Morgen, meine Herren. Dann wollen wir mal wieder. *Geht zum Rot-Kreuz-Schrank, schließt ihn auf, nimmt zwei Hocker und das Blutdruckmessgerät heraus und klappt eine kleine Arbeitsplatte heraus.* Darf ich bitten? Wer ist der Erste?

ORILUS *steht auf und eilt zu Uta; als er an Artus vorbeikommt, spuckt er aus; geht an Parzival vorbei*: Verräter! – *Zu Uta:* Fangen Sie mit mir an, Frau Uta.

UTA *setzt sich*: Nehmen Sie Platz. Den rechten Arm bitte freimachen. Haben Sie Beschwerden? Haben Sie gut geschlafen?

ORILUS: Alles in Ordnung. Gott sei gelobt und gepriesen, Frau Uta. Aber ich tu auch was für meinen Körper.

UTA *legt ihm die Manschette um und misst seinen Blut-druck*: Ich weiß, Herr Orilus.

ORILUS: Und den Teufel Alkohol habe ich besiegt. Mit Gottes Hilfe.

UTA: Das ist sehr vernünftig.

ORILUS *zieht ein Buch aus der Tasche*: Das verdanke ich allein der Heiligen Schrift.

UTA: Und dem Ende Ihrer Regierung.

ORILUS: Ja, der Zusammenbruch hat mir gesundheitlich sehr geholfen. Haben Sie den Bischof gesprochen?

UTA: Ich habe im Ordinariat der Diözese Ihr Anliegen vorgetragen. Man sagte mir, wenn alle Voraussetzungen Ihrerseits gegeben sind, kann der Anstaltsgeistliche Firmung und Kommunion ausspenden.

ORILUS: Der Anstaltsgeistliche! Das ist nur ein einfacher Priester! Versteht der Bischof denn nicht, warum es unglaublich wichtig ist, dass ich nicht von irgendeinem hergelaufenen Pfaffen meine Erstkommunion empfange? Ich hatte angenommen, der Bischof würde den Vatikan verständigen. Wenn ich hier im Gefängnis, inmitten meiner Mitgefangenen, von einem Kardinal aus Rom gefirmt würde, das wäre ein Fanal für das ganze Land! Eine Brandfackel des Glaubens, eine erneute Christianisierung!

UTA: Das Ordinariat bezweifelt, dass der Bischof von der Gefängnisleitung eine Genehmigung dafür erhält. Man hat einen Anstaltsgeistlichen berufen, der dafür zuständig ist. Sie sollen mit ihm sprechen.

ORILUS: Ihr Bischof ist ein Idiot.

UTA: Beruhigen Sie sich. Sie bringen die Werte ganz durcheinander.

ORILUS: Ich muss nicht zum Katholizismus übertreten. Ich kann ebenso gut auch Protestant werden. Frau Uta, sprechen Sie mit dem evangelischen Bischof. Die Taufe eines Mitglieds der kommissarischen Regierung hier im Gefängnis, vielleicht begreift der die universale Bedeutung eines solch sensationellen Ereignisses. Wie sind meine Werte?

UTA: Schlecht. Sie regen sich immerzu auf.

ORILUS: Wollen Sie noch einmal messen?

UTA: Das ist zwecklos. Sie regen sich doch jedes Mal auf. Brauchen Sie Medikamente?

ORILUS: Nein. Alles, was ich brauche, steht in der Heiligen Schrift. Lesen auch Sie jeden Tag darin, Frau Uta. Das hier fördert die Gesundheit, nicht Ihre Medizin. Und vergessen Sie nicht, den evangelischen Bischof zu fragen.

UTA: Ich werde mich erkundigen.

Hinter der Mauer erfolgt wieder eine Wachablösung; man hört Marschtritte, das Klirren von Eisen und die unverständliche, befehlende Stimme.

ORILUS: Und Jeschute? Haben Sie ihr gesagt, dass ich jetzt gläubig bin?

UTA: Ja.

ORILUS: Und? War sie beeindruckt? Liest sie auch in der Bibel, wie ich es ihr gesagt habe?

UTA: Ich weiß nicht. Ihr neuer Freund leitet einen Konzern. Sie muss bei jedem Empfang dabeisein, sagt sie, und hat ihn auf allen Reisen zu begleiten. Da kommt sie kaum noch zum Lesen.

ORILUS: Repräsentieren, Gesellschaften geben, das kann sie. Bestellen Sie ihr, sie soll auch an ihre Seele denken. *Steht auf und geht zum runden Tisch zurück; als er an Artus vorbeikommt, spuckt er aus; geht danach an Parzival vorbei:* Verräter!

UTA: Der Nächste bitte.

Parzival *geht zu Uta, setzt sich und entblößt einen Arm*: Heute nur Blutdruck, Frau Uta?

Uta: Ja. *Legt ihm die Manschette um.* Aber bei Ihnen ist sowieso alles in Ordnung. Sie sind ja noch jung.

Parzival: Wie ist die Stimmung draußen?

Uta: Man lebt. Man versucht zu überleben.

Parzival: Sind die Leute nun glücklicher?

Uta: Man ist froh, dass man es lebend überstanden hat. Und man versucht sich einzurichten.

Parzival: Was denkt man von uns? Wie reden die Leute über die Ritter? Hassen sie uns? Verachten sie uns? Oder vermissen sie die Tafelrunde?

Uta: Es ist vorbei, Herr Parzival. Jetzt haben die Leute andere Sorgen. Man muss sehen, dass man seine Arbeit behält und die Miete zusammenbekommt. Die Ausbildung der Kinder ist teuer. Da bleibt nicht viel Zeit, über früher nachzudenken.

Parzival: Hat man uns vergessen?

Uta: Vergessen? Nein, das würde ich nicht sagen. Aber das Leben ist schwer. Alle haben mit sich zu tun.

Parzival *holt einen Brief aus der Tasche und gibt ihn Uta*: Ich darf Sie bitten, den Brief weiterzuleiten. Haben Sie auch etwas für mich?

Uta: Herr Parzival, Sie wissen doch, es ist streng verboten. Hier, bitte. *Gibt ihm ein Päckchen.*

Parzival: Vielen Dank. *Steckt es rasch in die Tasche.*

Uta: Sie hatten mich vor einem Jahr gebeten, Ihnen einmal einen Brief hinauszuschmuggeln. Und jetzt stecken Sie mir jeden Tag etwas zu. Und Ihre Freunde geben mir sogar Päckchen für Sie mit. Ich mache mich strafbar. Es muss alles über die Gefängnispost gehen, das wissen Sie doch.

Parzival: Das geht nicht. Jeder Brief, den ich schreibe, jeder Brief, den ich erhalte, wird von einem beschränkten Feldwebel kontrolliert. In meinen Briefen steht nichts Verbotenes. Sie können sie lesen, alle, aber ich bin nicht bereit, die Zensur zu akzeptieren.

UTA: Ich verliere meine Stellung, wenn man bei mir etwas findet. Ich werde doch auch kontrolliert.

PARZIVAL: Bitte, Frau Uta. Ich versuche lediglich, Mordret und Klingsor klarzumachen, dass sie nicht auf meine Dienste verzichten können. Ich bin schließlich Fachmann, ein Profi. Und ich bin ein Patriot, ich will meinem Vaterland dienen. Man kann nicht meine Fähigkeiten hier ungenutzt vermodern lassen. Ich denke dabei nicht an mich, aber man schädigt dadurch das Vaterland. Und ich fordere meine Freunde im Ausland auf zu intervenieren, sich für meine Begnadigung einzusetzen. Das ist doch nicht strafbar.

UTA: Nein, aber das Schmuggeln von Briefen ist verboten. Streng verboten.

PARZIVAL: Nur diesen einen noch. Bitte. *Steht auf und geht zu dem Beet zurück, holt dort vorsichtig das Päckchen hervor, packt es aus, öffnet und liest verstohlen die Briefe.*

KEIE *steht auf*: Erst verhandeln sie monatelang darüber, ob sie uns nicht aufhängen wollen, jetzt sorgen sie sich unentwegt um unsere Gesundheit. Wahrscheinlich wollen sie nur Kerngesunde hinrichten. *Geht zu Uta.*

UTA: Nehmen Sie bitte Platz. Heute machen wir nur Blutdruck. Schlafen Sie gut? Brauchen Sie Medikamente, Herr Keie?

KEIE: Die präzise Anrede lautet: Herr Ministerpräsident. Ich stehe dem einzigen legitimen Kabinett des Landes vor. Wenn Sie mich ansprechen, dann bitte korrekt.

UTA: Das darf ich nicht. Und das wissen Sie auch. Der junge Mordret ist der Ministerpräsident.

KEIE: Dieser Herr Mordret steht lediglich einer angemaß-
ten usurpatorischen Regierung vor. Ohne ausreichende
Legitimation. Eine Marionette Klingsors, dieses ausländischen Despoten, der unser Land besetzt hat. Der
es ausbeutet. Der sich schamlos an den Schätzen des
Landes bereichert.

UTA: Halten Sie doch bitte den Arm still. Die Manschette
ist völlig verrutscht.

KEIE: Und Sie werden es erleben, Frau Uta, Sie werden es
noch erleben. Sobald die Mordret-Clique abgewirt-
schaftet hat, wird Klingsor unsere Regierung wieder
einsetzen. In meinem Kabinett sind schließlich aner-
kannte Fachleute, gut ausgebildet, erfahren und kampf-
erprobt. Oder das Volk wird uns rufen. Dann werden
Reichsacht und Bann gelöst, dann werden die Gefäng-
nismauern fallen.

UTA: Brauchen Sie Medikamente?

KEIE: Lesen Sie keine Zeitung? Es rumort. Überall. Das
Gewitter braut sich zusammen. Sie werden es erleben,
Frau Uta.

UTA: An Ihrem Hemd fehlt ein Knopf. Wenn Sie ihn sich
nicht annähen können, geben Sie mir das Hemd. Haben Sie den Knopf noch?

KEIE: Das Volk wollte Artus nicht und hat ihn hinwegge-
fegt. Er war es, der das Reich in die Katastrofe führte.
Weg mit Artus, ja, aber doch nicht mit der Tafelrunde.
Die Tafelrunde ist eine alte, heilige Tradition, ohne die
das Reich zerfällt. Sehen Sie sich um. Überall Zerstörung, Niedergang, Verzweiflung. Das Land braucht
uns. Das wird auch Klingsor eines Tages begreifen. Begreifen müssen.

UTA: Nehmen Sie Ihre Vitamine regelmäßig. Das ist für
Sie wichtig, Herr Keie. Und versuchen Sie, sich ein

bisschen Bewegung zu verschaffen. Das wäre für Ihren Kreislauf gut. Danke. Das war es dann.

KEIE: Sie werden es erleben. *Geht zum runden Tisch zurück.*

ORILUS: Wenn sie Lancelot untersucht hat, können wir weitermachen.

LANCELOT: Ich lasse mich nicht untersuchen.

KEIE: Wie viele Tagesordnungspunkte haben wir noch?

ORILUS: Wir schaffen nicht alles. Wir werden wieder vertagen müssen.

ARTUS *geht zu Uta*: Bin ich dran?

UTA: Bitte. Wie geht es Ihnen?

ARTUS: Sehr gut. Ich bin nur immerzu müde. Seit ich so viel schlafe, bin ich müde.

UTA: Wozu brauchen Sie dann Schlaftabletten, wenn Sie so viel schlafen?

ARTUS: Bitte, die brauche ich. Haben Sie etwas von Ginevra gehört? Wie geht es ihr?

UTA: Es heißt, sie lebt jetzt in Merveille, im Schloss der hundert Frauen. Dort geht es ihr sicher gut.

ARTUS: Ich hoffe es. Sie ist doch ganz unschuldig. Und so verletzbar. Ich hoffe sehr, dass es ihr gut geht. Sie darf mich nicht besuchen, man lässt sie nicht zu mir.

UTA: Sie lieben sie sehr, Herr Artus?

ARTUS: Sie ist das Schönste in meinem Leben. Nein, sie ist mein Leben. Jetzt, ohne sie, ich lebe gar nicht mehr. Nicht wirklich, verstehen Sie?

UTA: Ja. Sie muss eigentlich sehr glücklich sein, Ihre Frau.

ARTUS: Ich hoffe es. Ich wünsche es ihr von ganzem Herzen. Und wie geht es Ihnen, Frau Uta?

UTA: Sie wissen ja, mein Mann hat sich von mir scheiden lassen. Das ist schwer für mich. Er fehlt mir, wegen dem Jungen. Ekkehard ist in einem schwierigen Alter.

Und dann ist er bei dieser verbotenen Bewegung, bei den Jungen Rittern. Da macht man sich als Mutter natürlich Sorgen.

ARTUS: Ja, schrecklich, diese jungen Leute. Sie haben nichts dazugelernt. Ich sehe in der Zeitung, was die alles anstellen. Als ob man das Rad der Geschichte zurückdrehen könnte.

UTA: Und Sie, Herr Artus, Sie sind das Idol der jungen Leute. Wissen Sie das?

ARTUS: Ganz schrecklich.

UTA: Die wollen das Artus-Reich wieder errichten.

ARTUS: Diese dummen Kinder. Kann Ihr Mann gar nichts machen?

UTA: Wie denn? Er ist Tag und Nacht in der neuen Regierung. Und jede freie Minute verbringt er mit seiner jungen Frau. Er hat keine Zeit für uns. Immerhin, er hat mir noch diese Stelle hier im Gefängnis verschafft. Da bin ich doch versorgt.

ARTUS: Es ist schwer, Frau Uta. Das Leben ist schwer.

UTA: Damals, als Ihre Regierung meinen Mann verfolgte und er seinen Beruf nicht ausüben durfte, was habe ich nicht alles für ihn getan. Wir beide hatten nur uns, und es war alles sehr schwer, aber es war eine schöne Zeit. Nun ist er Staatssekretär, hat sich ein blutjunges Mädchen angelacht, und ich kann sehen, wo ich bleibe.

ARTUS: Ich bedaure Sie. Alles missglückt uns. Das Artus-Reich hatte ich geschaffen, um das menschliche Glück dauerhaft auf der Erde zu befestigen. Es ist mir misslungen. Und es tut mir weh, wenn ich höre, dass es heute auch nicht besser ist.

ORILUS: Wie kommst du mit deinen Memoiren voran? Ich habe schon achthundertzwanzig Seiten.

LANCELOT: Wie umfangreich soll das denn bei dir werden?

ORILUS: Drei dicke Bände. Bei mir wird jeder Tag beschrieben, von morgens bis in die Nacht. Und du?

LANCELOT: Ich schreibe jeden Tag vier Seiten. Und jeden Abend schmeiße ich fünf in den Papierkorb.

ORILUS: Wie geht denn das? Ach, du meinst das wieder in so einem anderen Sinn? So filosofisch, wie?

LANCELOT: Nein. So wie ich es sage.

ORILUS: Aber das geht doch gar nicht. – Und du, Keie?

KEIE: Ich schreibe keine Memoiren. Ich sitze Tag für Tag an meinem Regierungsprogramm. Es geht schließlich um die Zukunft, Orilus. Wir müssen voranschreiten und nicht zurücksehen.

ORILUS: Ja, natürlich. Ich schreibe meine Memoiren für die Zukunft.

UTA: Sorgen mache ich mir nur um den Jungen. Diese Bewegung, die ist wirklich gefährlich. Und sie ist verboten. Wenn er so weitermacht, wird mein Mann meinen Jungen ins Gefängnis stecken. Er ist immerhin beim Staatsschutz. Ist das nicht schrecklich?

ARTUS: Das ist schlimm, Frau Uta.

UTA: Herr Artus?

ARTUS: Ja? Was haben Sie denn? Was gibt es? Kann ich Ihnen helfen?

UTA: Er hat mich gebeten, Ihnen eine Botschaft zu übermitteln.

ARTUS: Wer?

UTA: Ekkehard.

ARTUS: Ihr Junge?

UTA: Er und die Jungen Ritter, die die Tafelrunde wieder errichten wollen. Ich soll Ihnen sagen: Der Tag ist nahe, halte dich bereit.

ARTUS: »Der Tag ist nahe, halte dich bereit?«

UTA: Ja. Genau so.

ARTUS: Wollen die mich etwa hier rausholen?

UTA: Ich hörte so etwas. Ich hörte etwas von einem Kommandounternehmen. Befreiungskommando »Artus«.

ARTUS: Haben diese Kinder völlig den Verstand verloren? Warum helfen Sie denen noch, Frau Uta? Wieso übermitteln Sie noch Botschaften für die?

UTA: Ekkehard ist mein Sohn. Trotz allem. Ich will ihn nicht verlieren. Auf der einen Seite mein Ex-Mann, der für den Staatsschutz arbeitet, und auf der anderen mein Sohn, der ein Mitglied der Jungen Ritter ist. Was soll ich tun? Geben Sie mir einen Rat, Herr Artus.

ARTUS: »Der Tag ist nahe, halte dich bereit.« Ich lasse mich hier nicht herausholen. Dann fängt doch nur der ganze Zirkus von vorn an.

UTA: Wir sind fertig. Sie können gehen.

ARTUS: Meine Tablette. Die wollen wir doch nicht vergessen.

UTA: Sie brauchen doch keine Schlaftabletten.

ARTUS: Eine Tablette. Wie jeden Tag.

UTA *gibt ihm eine Tablette*: Was machen Sie damit? Sammeln Sie die? Sie wissen, dass Sie sich damit umbringen können. Und dann bekomme ich den Ärger.

ARTUS: Sie können keinen Ärger bekommen, Frau Uta, nur weil Sie mir jeden Tag eine einzige Schlaftablette geben.

UTA: Wenn Sie davon zu viele auf einmal nehmen, dann bringen Sie sich nicht um. Sie werden sich lediglich erbrechen, aber vielleicht sind Sie dann Ihr Leben lang gelähmt. Auch für den Selbstmord braucht man die richtige Dosierung. Nicht zu wenig, aber auch nicht zu viel.

ARTUS: Was ist die richtige Dosierung? Fünfzig?

UTA: Das werde ich Ihnen ganz bestimmt nicht verraten. Bis morgen.

ARTUS: Bis morgen, Frau Uta. *Steht auf und nimmt seinen Rundgang wieder auf.*

KEIE: Endlich ist er fertig. Er redet absichtlich immer so lange mit der Frau, nur um unsere Sitzungen zu stören. Du bist dran, Lancelot.

LANCELOT: Ich lass mich nicht untersuchen.

KEIE: Das hilft doch nichts. Geh schon.

UTA: Herr Lancelot, kommen Sie, bitte.

LANCELOT: Nein. Ich weigere mich.

UTA *geht mit dem Messgerät zum runden Tisch*: Ich muss Ihren Blutdruck messen, Herr Lancelot, das wissen Sie doch. Wenn Sie sich weigern, muss ich das der Gefängnisleitung melden. Dann wird man Sie fesseln und Ihnen gegen Ihren Willen die Manschette anlegen.

LANCELOT: Das ist meine Gesundheit, das ist mein Leben. Darüber bestimme ich allein.

UTA: Nein, Herr Lancelot, solange Sie im Gefängnis sind, hat der Staat auch für Ihre Gesundheit zu sorgen. Also bitte, machen Sie den rechten Arm frei.

KEIE: Setzen Sie sich nicht dorthin.

UTA: Aber warum denn nicht? Ist das der Freistuhl?

KEIE: Natürlich nicht. Halten Sie uns bitte nicht für Idioten. Natürlich ist das kein Freistuhl. Das ist lediglich ein Symbol. Es soll uns an den Freistuhl erinnern, an den Gral. Und darum fordere ich Sie auf, sich nicht darauf zu setzen. Sie können meinen Stuhl haben. *Steht auf.*

UTA *setzt sich*: Geben Sie mir Ihren Arm, Herr Lancelot.

Lancelot legt seinen Arm auf den Tisch, lässt sich von Uta den Ärmel aufkrempeln und die Manschette anlegen.

ARTUS: Das ist sicher der schönste Gefängnisgarten im ganzen Land. Du bekommst bestimmt eines Tages noch einen Preis. Vielleicht gibt es einen Wettbewerb: Schöner unsere Gefängnisse und Gärten.

PARZIVAL: Solange bleibe ich nicht hier.

ARTUS: Was hast du vor? Willst du ausbrechen?

PARZIVAL: Mach dich nicht lächerlich. Man wird mich entlassen. Man braucht mich schließlich. Du hast doch gehört, selbst der Gerichtshof hat meine organisatorischen Fähigkeiten als genial bezeichnet. In der Logistik, in der Organisation der Kriegswirtschaft war ich Klingsor weit überlegen.

ARTUS: Das habe ich immer an dir geschätzt. Aber den Zusammenbruch konntest auch du nicht aufhalten.

PARZIVAL *deutet auf die anderen*: Mit solchen traurigen Rittern, wie willst du da ein Reich verteidigen. Verrat mir das mal. Ein Haufen von Narren, Idioten und Verbrechern, so sah deine Ritterschaft aus.

ARTUS: Sei nicht so streng. Heute urteile ich über einige Dinge auch anders. Meinst du wirklich, wir bleiben nicht für immer geächtet? Ich muss hier nicht lebenslänglich sitzen?

PARZIVAL: Ich ganz bestimmt nicht. Mich hat man nur zu zwanzig Jahren verurteilt, und auch die sitze ich nicht ab. Verlass dich darauf. Bei denen dort bin ich mir allerdings nicht sicher. Diese Galgenvögel sind hier gut aufgehoben.

ARTUS: Und ich?

PARZIVAL: Du, Artus? Ich weiß nicht.

LANCELOT: Für wen schreibst du deine Memoiren eigentlich?

ORILUS: Für wen? Für die Zukunft. Für die Jugend. Für die Geschichtsbücher.

KEIE: Und für die Honorare, das solltest du nicht vergessen.

ORILUS: Sicher. Man wird ja nicht jünger. Und die schöne Altersversorgung vom Artus-Reich, die erhalten wir ja nicht mehr. Die hat Mordret uns willkürlich gestrichen.

LANCELOT: Was bekommst du für die Memoiren?

ORILUS: Das muss man aushandeln. Der Kleine Morus nennt keine Summen. Er empfiehlt nur, die Vorträge und den Vorabdruck aus dem Buchvertrag herauszunehmen, um sie extra honorieren zu lassen. Und die Medienrechte natürlich.

KEIE: Was für Rechte?

ORILUS: Medien. Film und Fernsehen.

KEIE: Werden deine Memoiren verfilmt?

ORILUS: Mein Agent ist mit zwei Filmfirmen im Gespräch.

LANCELOT: Wer soll dich denn spielen?

ORILUS: Keine Ahnung. Laurence Olivier und Gründgens leben leider nicht mehr.

KEIE: Und wie viel bekommst du?

ORILUS: Das handelt mein Agent aus. Es wird eine hübsche Summe. Siebenstellig, sagt mein Agent.

LANCELOT: Tatsächlich? Vielleicht kommt dann Jeschute zu dir zurück.

ORILUS: Warum nicht? Wenn meine Memoiren ein Erfolg werden, kommt sie sicher zu mir zurück. Dann könnten Jeschute und ich nachträglich kirchlich heiraten.

KEIE: Zahlen die tatsächlich so viel?

ORILUS: Für die Memoiren von Artus könnte er noch ganz andere Summen herausholen, sagt mein Agent. Aber Artus will nicht. Und mit Parzival, dem Verräter, ist er auch im Gespräch. Der wird einen schönen Vorschuss eingesteckt haben.

KEIE: Parzival, dieser Verräter. Ich begreife nicht, wieso Mordret diesen Verbrecher Parzival nicht aufhängen ließ. Verdient hätte das diese Ratte. Stattdessen bekommt der nur zwanzig Jahre verpasst.

LANCELOT: Und wie jämmerlich er sich vor dem Gericht aufführte. Von nichts will er etwas gewusst haben.

ORILUS: Ein Feigling, ein Lügner, ein Verräter. Wenn einer nichts wusste, war ich das. Mir habt ihr ja nie etwas gesagt, weil ihr alles hinter meinem Rücken ausgehandelt habt. Aber vor dem Gericht habe ich mich nicht gedrückt wie der Verräter Parzival. Vor Gericht habe ich meinen Mann gestanden.

KEIE: Selbstverständlich, Orilus. Darum habe ich dich auch in mein Kabinett aufgenommen.

ORILUS: Wie willst du eigentlich dein Reich nennen? Keie-Reich? Das klingt blass. Artus-Reich, das hörte sich sehr viel besser an.

PARZIVAL: Ehrlich, Artus, es sieht nicht rosig aus für dich. Du und das Artus-Reich, das ist nicht zu trennen. Gegen deine Begnadigung würde es Widerstand geben. Das wird Klingsor nicht zulassen. Und dein Sohn, ich weiß nicht, wie du mit Mordret stehst. Mich jedenfalls brauchen sie.

ARTUS: Ja, ein Mann wie du ist eigentlich unersetzbar. Solche wie dich braucht man in jedem System.

PARZIVAL: Das sag ich doch. Und das werden auch Mordret und Klingsor eines Tages begreifen. Ich habe Nachricht von Freunden, die in der Wirtschaft wieder Fuß fassten. Sie schreiben mir, dass ihre Bemühungen äußerst erfolgreich verlaufen. Sie denken, dass ich Ende des Jahres wieder ein freier Mann bin.

ARTUS: So bald?

PARZIVAL: Ja. Und ich bin heute schon für drei Aufsichtsräte nominiert. Als designierter Vorstand, Artus. Von der Politik halte ich mich fern. Nie wieder.

ARTUS: Das verstehe ich. Das verstehe ich sehr gut, Parzival. Wie viel hatten wir uns vorgenommen? Tag und Nacht haben wir gearbeitet, waren rücksichtslos gegen alle, auch gegen uns selbst, nur um unser Ziel zu erreichen. Das Volk sollte glücklich werden. Aber sind die Menschen glücklich geworden? Wir hatten es erwartet. Wir haben unser Bestes getan, wir haben unser Leben eingesetzt, um den Gral zu finden. Wie viele Ritter haben dabei ihr Leben verloren. Und es war alles umsonst.

PARZIVAL: Jaja. Willst du mal kosten? Das ist ein Cognac. So einen hast du in deinem Leben noch nicht getrunken. Eine kleine Aufmerksamkeit meiner Freunde. Diese Ritter sind alle wieder obenauf, mit Villa und Koch, großem Wagen und Chauffeur.

ARTUS: Das sind erstaunliche Karrieren. Ja, manche verstehen es zu leben. Danke für den Cognac. Er ist vorzüglich. Ich bin es gar nicht mehr gewohnt. Ich muss mich einen Moment hinsetzen. *Setzt sich auf einen der Rot-Kreuz-Hocker.*

UTA: Na, sehen Sie, das war es schon. War es so schlimm?

KEIE: Gehen Sie endlich.

UTA: Wir sehen uns morgen wieder, meine Herren. *Steht auf und geht zu ihrem Schrank.*

KEIE: Fortsetzung der Kabinettssitzung. Freie Diskussion zum Punkt drei der Tagesordnung. Gibt es Wortmeldungen?

LANCELOT: Die Situation ist unverändert. Wir brauchen Staatssekretäre, Referenten, Sekretärinnen, ein funktionierendes Telefonnetz, eine Regierungszeitung.

ORILUS: Und irgendwann müssen wir auch ein Gehalt bekommen. Ich kann nicht jahrelang vier Ministerien ehrenamtlich leiten. Und was ist mit meinem Dienstwagen?

KEIE: Dienstwagen, das ist Unsinn. Solange wir von diesem selbst ernannten Usurpator Mordret festgehalten werden, brauchen wir keinen Dienstwagen.

ORILUS: Aber eine Sekretärin verlange ich. Ich muss alles selber schreiben.

KEIE: Für deine Memoiren wird dir mein Kabinett keine Sekretärin zur Verfügung stellen. Das ist deine Privatangelegenheit, Orilus.

UTA: Ich muss jetzt alles einschließen. Haben Sie noch einen Wunsch, Herr Artus?

ARTUS: Haben Sie Mordret gesehen?

UTA: Nein. Natürlich nicht. Ich gehöre doch nicht zur Regierung.

ARTUS: Ich würde mich gern einmal mit ihm unterhalten. Früher war ich immer beschäftigt, heute hat er keine Zeit.

UTA: Unsere Kinder machen uns viel Kummer, wie? *Sie verpackt das Messgerät und die Hocker in den Schrank und verschließt ihn.*

ARTUS: Sie wollen halt unbedingt ihren eigenen Weg gehen. Sie wollen ihren Gral finden. Auf uns hören sie nicht. Aber was könnten wir ihnen auch sagen?

UTA: Und was soll ich meinem Jungen bestellen?

ARTUS: Was meinen Sie?

UTA: Was soll ich Ekkehard und den Jungen Rittern sagen? Die wollen eine Antwort von Ihnen.

ARTUS: Sagen Sie ihnen, ihr Idol hat Arthritis und Durchfall. Die sollen eine hübsche junge Filmschauspielerin anbeten und nicht einen alten Mann. Wir waren in dem Alter Minnesänger. Wir haben damals unter den Fenstern der jungen Mädchen gestanden und zur Gitarre gesungen. Und das war das Vernünftigste, was ich in meinem Leben getan habe. Sagen Sie das Ihrem Sohn.

UTA: Die jungen Leute werden sich nicht zurückhalten lassen. Ich fürchte, eines Tages werden die hier erscheinen. Mit Gewalt.

ARTUS: Ja. Sehen Sie, und dafür benötige ich Ihre Tabletten, Frau Uta. Leben Sie wohl.

UTA: Bis morgen, Herr Artus.

Artus nimmt seinen Rundgang wieder auf; Uta geht an das Tor und klopft an; die Sichtklappe wird geöffnet und wieder verschlossen, danach wird die Tür geöffnet; Uta geht ab.

ORILUS: Staatssekretäre, Referenten, Sekretärinnen, Telefon, Regierungszeitung, Dienstwagen, ich habe alles notiert.

KEIE: Den Dienstwagen streichst du. Solange wir unrechtmäßig im Gefängnis festgehalten werden, brauchen wir keinen Dienstwagen. Wir machen uns lächerlich.

ORILUS: Prinzipiell haben wir einen Anspruch darauf. Aber schön, wie du willst. Du bist der Kabinettschef.

LANCELOT: Und nun? Machen wir wieder eine Protestnote? Ein Memorandum? Oder diesmal eine Demarche? Wir könnten ebenso ein Veto einlegen. Eine Denkschrift hatten wir auch schon häufiger. Oder reicht für heute ein einfacher Einspruch?

KEIE: Wie oft haben wir unsere Forderungen vorgetragen, Orilus?

ORILUS: Ich habe es nicht mehr gezählt. Nach dem dreihundertsten Protest habe ich aufgehört zu zählen.

KEIE: Und nie eine Antwort. Dieser Usurpator hat nicht einmal Umgangsformen. Wenn der mit den ausländischen Mächten auch so verhandelt, ist unser Land bald isoliert und ruiniert.

LANCELOT: Was willst du? Er erkennt unser Kabinett nicht an. Er akzeptiert uns lediglich als Strafgefangene.

KEIE: Und ich verweigere diesem illegitimen Regime jegliche Anerkennung.

LANCELOT: Schön, aber Mordret hat im Moment die besseren Karten.

KEIE: Im Moment, Lancelot, lediglich im Moment. Das wird sich bald ändern.

Uta wird durch die Tür eingelassen.

ARTUS: Frau Uta, haben Sie etwas vergessen?

UTA: Nein. Ich weiß nicht ... irgendetwas passiert da draußen. Ich durfte das Gefängnis nicht verlassen. Irgendetwas passiert.

Die Hofglocke läutet mehrmals schrill.

ORILUS: Ist der Hofgang schon zu Ende? Das kann doch nicht sein.

KEIE: Hier ist irgendetwas nicht in Ordnung. Das Klingelzeichen habe ich noch nie gehört.

PARZIVAL: Was gibt es denn? Was ist? Feueralarm?

Die Glocke läutet wieder mehrmals.

ARTUS: Müssen wir in die Zellen zurück? Wissen Sie nicht, was los ist, Frau Uta?

UTA: Nein.

Ein Lichtwechsel; eine Musik ertönt; die beiden Flügel des Tors öffnen sich; eine Person in einer glänzenden Ritterrüstung und mit herabgelassenem Visier tritt auf und geht in dem magisch wirkenden Licht bis in die Mitte der Bühne; Uta und die Männer stehen wie versteinert und starren auf die Erscheinung.

ARTUS: Wer ist das? Ist das Mordret?

LANCELOT: Ein Ritter. Ich habe ihn noch nie gesehen.

KEIE: Der Gralsritter. Der Gralsritter ist gekommen.

PARZIVAL: Sind Sie es, König Klingsor?

ARTUS: Ist es Mordret oder ist es Ihr Sohn, Frau Uta?

UTA: Sie meinen, es ist Ekkehard? Ich weiß nicht.

ORILUS: Vielleicht ist es Gawain. Gawain kommt vom Chastell Merveille zurück und befreit uns.

LANCELOT: Es ist Gawain oder Galoes. Vielleicht auch Ironside. Kennt einer von euch diese Rüstung?

ARTUS: Es ist Siegfried. Es ist Siegfrieds Rüstung.

ORILUS: Siegfried? Will er uns befreien?

KEIE: Er winkt. Er winkt uns zu sich.

PARZIVAL: Nein, er winkt Artus.

KEIE: Wieso denn Artus? Mir hat Siegfried zu winken, ich stehe dem Kabinett vor.

LANCELOT: Er legt seine Lanze ein. Er fordert uns zum Kampf.

ORILUS: Ein Turnier. Siegfried will einen Turnierkampf.

PARZIVAL: Wir haben doch überhaupt keine Ausrüstung für ein Turnier. Wir besitzen nicht einmal ein Messer.

KEIE: Was soll denn das für ein Turnier werden?

UTA *geht zu dem turnierbereiten Ritter*: Wer sind Sie? Was wollen Sie? *Sie berührt die Rüstung des Ritters; im gleichen Moment zerbirst die Rüstung und fällt in einzelnen Teilen auf die Erde; die Rüstung war leer, niemand steckte in ihr; die Musik verklingt; das Licht wechselt; das große Tor schließt sich wieder.*

PARZIVAL: Was war das?

KEIE: Nichts. Der Versuch einer Provokation. Mordret will uns herausfordern.

ORILUS: Oder es war Merlin, der Magier Merlin. Er liebt

diese Zauberkunststückchen. Wisst ihr noch, der brennende Felsen damals und das staubtrockene Meer?

LANCELOT *zu Uta*: Sie hätten ihn nicht antasten dürfen, Frau Uta, niemals. Ein Gralsritter darf keine Frau berühren, und keine Frau darf einen Gralsritter anfassen. Er muss rein bleiben.

UTA: Gottlob, es war nicht Ekkehard. Mir ist fast das Herz stehengeblieben vor Angst, Herr Artus.

ARTUS: Und ich hatte gehofft, Mordret will mich sprechen.

UTA: Ich denke, ich kann jetzt gehen. Dann bis morgen.

ARTUS: Auf Wiedersehen, Frau Uta.

Uta geht zum Tor und wird wie zuvor hinausgelassen.

PARZIVAL: War das wirklich Siegfried?

ARTUS: Ich weiß es nicht.

PARZIVAL: Einen Moment dachte ich … nun ja, ich hatte gedacht, unser Ende ist gekommen.

ARTUS: Ach, hattest du das auch gehofft?

KEIE: Zur Tagesordnung bitte.

Die drei setzen sich wieder hin.

ORILUS *liest vor*: Punkt vier: zur weiteren Vervollständigung und Sicherung der Demokratie wird ein Demonstrationsverbot erlassen und die elektronische Überwachung und Ausforschung des politischen Gegners angeordnet sowie seine fürsorgliche Internierung vorbereitet. Das hier sind die Gesetzesvorlagen. *Verteilt Papiere.*

PARZIVAL: Ich habe das Beet so angelegt, dass in jeder Jahreszeit etwas blüht oder grünt. Selbst im Winter. Wenn es nicht zu arg friert, kommen dann der Winterling und die Alpenveilchen und sogar Hamamelis. Hinter den hohen Mauern sind die Pflanzen mehr als geschützt, da treibt die Zaubernuß im Dezember noch Blüten. Und hier setz ich den Winterjasmin ein.

ARTUS: Was war das eben? Ein Traum? War der Ritter ein Lufthauch? Und ein Spuk unser ganzes Leben?

PARZIVAL: Keine Ahnung.

ARTUS: Sind wir wach? Schlafen wir? Haben wir alles nur geträumt? Dort liegt die Rüstung, was bedeutet das? Ist unser Leben ein Traum, Parzival? Waren wir Gefangene, als wir frei waren? Und sind wir frei, da wir gefangen sind?

PARZIVAL: Nur nicht darüber nachdenken, Artus. Das Grübeln bringt nichts. Immer vorwärts schauen, an die Zukunft denken. Pflegst du meinen Garten weiter, wenn ich entlassen werde? Lange wird das nicht mehr dauern, schreiben meine Freunde.

ARTUS: Für deine Blumen wäre das eine Katastrofe. Ich kenne mich mit Blumen nicht aus. Bei uns hat das alles Ginevra gemacht. Sie hat eine wunderbare Hand für Blumen.

ORILUS: Die Notstandsgesetze sollten wir aber nicht im Gesetzblatt veröffentlichen. Das bringt nur Ärger. Das sollte vorerst geheim bleiben. Wenn es so weit ist, wird es das Volk schon merken.

KEIE: Warum willst du denn die Gesetze geheim halten? Wir sind eine Demokratie, da kann über alles gesprochen werden. Wir werden nicht die alten Fehler dieser Diktatur wiederholen. Wir sind doch nicht Artus.

ORILUS: Die Opposition wird toben.

KEIE: Ach was. Auch die Opposition hat sich an die Spielregeln zu halten. Sie wird zwei Wochen lang protestieren und dann unter Protest zustimmen. So wie es im Kleinen Morus festgelegt ist.

ORILUS: Und das Volk?

LANCELOT: Dem Volk muss man die Möglichkeit geben, sich zu empören. Ein paar freche Losungen an der Hauswand, ein paar unverschämte Leserbriefe gegen unsere Gesetze, da kann das Volk Dampf ablassen. Und nach ein paar Wochen ist wieder Ruhe im Land, und wir haben, was wir wollen. So funktioniert Demokratie, mein lieber Orilus.

KEIE: Das Volk muss sich endlich auch einmal daran gewöhnen, dass wir eine Demokratie haben. Auch das sogenannte Volk hat sich an die demokratischen Spielregeln zu halten. Der Druck der Straße, das ist keine Demokratie. Das werde ich verbieten. Und nicht nur das.

ORILUS: Was meinst du?

KEIE: Offen gesagt: sobald wir die Macht übernommen haben, werde ich Mordret und sein gesamtes Kabinett internieren lassen. Das hätte Artus schon damals machen sollen, aber der war ja unfähig, ein Reich zu führen. Ein Waschlappen. Der eigentliche und der einzige Fehler des Artus-Reiches, das war Artus. Wenn er nicht wäre, säßen wir heute noch an der Tafelrunde.

ORILUS: Artus! *Spuckt aus.*

LANCELOT: Wir könnten die Notstandsgesetze von Mordret übernehmen.

KEIE: Ja, schließlich hat er seine auch nur vom Artus-Reich übernommen. Und die sind bereits geltendes Gesetz.

ORILUS: Aber er nennt das alles ganz anders.

KEIE: Andere Namen brauchen wir auch. Wir müssen uns grundsätzlich von Mordret unterscheiden. Gerade bei Ausnahmegesetzen.

ORILUS: Wollen wir mal schauen, was der Kleine Morus dazu schreibt.

PARZIVAL: Artus?

ARTUS: Ja?

PARZIVAL: Ich möchte den Rosenstock an der Mauer anbinden. Kannst du mir die Zweige zurückhalten?

ARTUS: Gern.

PARZIVAL: Aber verletz dich nicht, die Rose hat tückische Dornen.

ARTUS: Ich bin froh, wenn ich mich nützlich machen kann.

Während Parzival und Artus die Rose anbinden und Keie, Lancelot und Orilus ihre Sitzung fortsetzen, fällt der Vorhang.

ZAUNGÄSTE

Lustspiel

PERSONEN

Lotte, *eine ältere Witwe*
Luise, *ihre Freundin*
Muschkowski, *ein Rentner*
Konstantin, *ein Kellner*
Berger, *ein jüngerer Mann*

Ort der Handlung

Ein Leipziger Café mit mehreren kleinen Marmortischen, ältlichen Plüschsesseln, angeschmutzten Tapeten und kleinen Kronleuchtern der Gründerjahre. Die Fenster reichen bis zum Fußboden herunter, das mittlere ist weit geöffnet.

Zeit der Handlung

An einem Nachmittag Ende Mai 1968.

Lotte trägt ein schwarzes Kleid, Luise ein schwarzgeblümtes; beide tragen dunkle Hüte; sie sitzen an einem Tisch in der Nähe eines Fensters und trinken Likör.

An einem Nachbartisch sitzt Muschkowski, ein älterer Herr mit Anzug und Krawatte; auf einem Stuhl Regenschirm, Hut und Handschuhe; er legt eine Patience; vor ihm steht ein Kaffeegedeck und eine Wasserkaraffe.

Am geöffneten Fenster steht der Kellner Konstantin, ein Mann mit krummem Rücken, mit weinrotem Frack, Fliege und schwarzer Hose; über dem angewinkelten Arm trägt er eine Serviette.

Auf der anderen Seite des Fensters steht Berger, ein Mann im Anorak, in der Hand hält er einen Stoffbeutel.

Konstantin und Berger beobachten aufmerksam die Vorgänge vor dem Café.

LUISE: Lottchen, mer müssen weiter. Nu tschutsche dei Gläschen aus und sei ä bissel manierlich und halt dich.

LOTTE: Nu sei ma nich so, mei Ischen, meine Beste. Mir is scho ganz drüschelich.

LUISE: Mache dich nich unglücklich und ibberhaupt, dass mer hier fortkomm.

LOTTE: Welche Zeit isn? Wenn ich nurn Schimmer vonner Ahnung hätte, wo mer hier sin. So find ich mich doch nich.

LUISE: Na, so ä Schmand. Du bist doch manchmal hier geborn un willst dich uff eenmal in dr Stadt nich auskenn!

LOTTE: Ich wer doch wissn, was ich kenne und was nich.

LUISE: Ach, Lottchen, du bist ooch zu dusslich.

LOTTE: Ich bin ne honette Person un nich son Menscher.

LUISE: Biste ruhich nu!

LOTTE: Du hast mir scho gar nischt zu verbietn. Am hell-lichten Tache ne junge Witwe ins Kaffeehaus zu verfrachtn und mit Likör vollzuschnäppern. Awer so ne Ausgekochte! Hast nich wenicher getitscht, awer nischt bemerkt se von.

LUISE: Halts Maul, Lottchen.

LOTTE: Du bist allemal fei stille, hörschte.

MUSCHKOWSKI: Gnädigste, mein Kompliment. Wenn Sie gestatten, man hat einen besseren Ausblick. *Er setzt sich an den Nachbartisch der beiden Frauen.* Wir haben nicht jeden Tag das Vergnügen, solch einen Auflauf vorgesetzt zu bekommen. Das wird mir die Kaffee-stunde angenehm verkürzen. Wenn Sie gestatten. *Er mischt seine Patiencekarten.*

LUISE: Gottchen, die villen jungschen Leude. Was habn die sich alle nebber gesetzt? Und wozu issen dr Zaun uffgebaut worden?

MUSCHKOWSKI: Der Zaun ist eine polizeiliche Absperrung. Nun sehen Sie, meine Damen, man bekommt immer noch Zulauf. Die alte Universitätskirche hat in ihren letzten Stunden viel Besuch. Es scheint, die jungen Herrschaften haben des Längeren die Beichte versäumt und verlangen nach dem Segen der Sterbenden.

LOTTE: Jo, nu is er nich mehr, dr Willi. Die Feier heude is mir tüchtich ans Herze gegangen.

MUSCHKOWSKI: Bitte, die Gnädigste?

LOTTE: Mei Willi is mir verblichen. Mer habn ihn heude zur letzten Ruhe gebracht. Sunst wäre ich ooch nich hiere reingeschlittert.

MUSCHKOWSKI: Mein Beileid, Verehrteste.

LOTTE: Danke, der Herr, sehr aufmerksam. Ich rühre so was sonsten nich an, Herr. Ich bin ja keene Schickse. Awer wo mei Willi nun tot is.

MUSCHKOWSKI: Ja, rasch tritt der Tod den Menschen an. *Legt seine Karten aus.*

LOTTE: Sehr mitfühlend, der Herr. – Es war schön, Ischen, nich? Es war gar zu schön.

LUISE: Sehr feierlich, Lottchen. Awer das hat dr Willi verdient. So ein guder Mann. Du hattstn guden Mann, Lottchen, alles was recht is, da kann ma nich dran dippen.

LOTTE: Meinste?

LUISE: Ham nich ville gehabt, son guden Mann. Und dann noch nachm Krieg. Da hatten die Kerle ja freie Auswahl.

LOTTE: Meinste?

LUISE: Da sin nich ville treu geblieben. Da hats Tränen gegeben, massich, Ischen. Aba nich bei deim Willi. War ne treue Seele, dei Gudsder.

LOTTE: Meinste wirklich?

LUISE: Awer immer. Der hat die scheene Feier verdient. Un dr Herr Paster Bengsch, man mochte meinen, der kannte ihn direkt. So schön hat er über ihn gesprochen. Jedes Wort war wahr, jedes Wort.

LOTTE: Jo, Paster Bengsch hat scho fei schön gesprochen. Wie der geredet hat, da hab ich mich nich halten könn. Dabei is Willi eechentlich nie mitgekomm in de Kirche.

LUISE: Als ob er vonn Heilichenläbn erzählt, so schön.

LOTTE: Is awer ooch nich billich. Der Paster kriechtn scheenes Stück Geld. Heude is nischt mehr umsunst, Ischen. Egal wech heißts: Bargeld.

LUISE: S trifft ja keenen Armen, oder? Was hastn, Lottchen? Du hast doch was.

LOTTE: Was weeßt denn du von meinem Geld?

LUISE: Nischt weiß ich. Was soll ich denn wissen?

MUSCHKOWSKI: Konstantin?

KELLNER: Bitte, der Herr?

MUSCHKOWSKI: Ich habe mich umgesetzt, wenns recht ist. Würden Sie die Freundlichkeit haben, mir mein Schälchen Kaffee an meinen Tisch zu bringen.

KELLNER: Wird umgehend besorcht. *Bleibt am Fenster stehen.*

LUISE: Was meinste denn? Was haste denn?

LOTTE: Nee. Ich sach nischt.

LUISE: Du hast doch was. Das merk ich doch.

KELLNER: Merken Se was?

BERGER: Was soll ich denn merken?

KELLNER: Merken Se gar nischt?

BERGER: Was denn?

KELLNER: Da tut sich nischt. Die tun einfach nischt. Da kann keener nischt machn, wenn die nischt tun, mei Guder.

BERGER: Bürger, halten Se sich da raus. Mer wolln uns doch nich in de Ermittlungen mischen, nicht wahr?

KELLNER: Was sach ich denn? Hab ich was gesacht?

MUSCHKOWSKI: Konstantin?

KELLNER: Ich eile. *Bleibt am Fenster stehen.*

LUISE: Warum biste denn beese auf mich, mei Lottchen? Trinken mer noch ein Likör?

LOTTE: Nee.

LUISE: Wolln mer gehn?

LOTTE: Ich kann noch nich gehn. Ich muss erscht wedder zu mir komm. Die Beerdchung hat mich zu sehr erledicht.

LUISE: Verstehe ich. War ooch zu scheen. Ich gloobe, dr Willi wäre zufriedn. Wenn er dabei gewesen wäre, määch.

LOTTE: Er war doch dabei.

Die beiden Frauen kichern.

LUISE: Awer die Kertschmaier mit ihrem hellblauen Bliemchenkleid, das war mehr als unpassend. Zu ner Beerdchung mit nem hellblauen Bliemchenkleid, das macht ma doch nich.

LOTTE: Das war mir direkte peinlich.

LUISE: Die is doch nich so arm, dass se sich kee schwarzes Kleid kaufen kann. Die geht doch ooch in de Oper, da musse doch so was Passendes ham. Mit dem hellblau Gebliemten uffn Friedhof, nee.

LOTTE: Ich konnte gar nich nach hinuggen. Darum hab ich se ooch nich mit eingeladen. Stell dir vor, die sitzt hier mit dem Hellgebliemten, und ich hätte das in einem fort vor Oochen.

LUISE: Dass die awer ooch so gar keenen Geschmack hat, die Kertschmaier. Wenn ich uffn Friedhof wär, so aufgeputzt wie die, ich wär vor Scham in de Erde versunken.

LOTTE: Uffn Friedhof? In de Erde versunken? Das kommt für uns beede noch früh genuch.

LUISE: Da haste eechendlich ooch recht.

Die beiden Frauen kichern.

Du, ibber die Kertschmaier könnt ich dir Sachn erzähln, die hältste nich für möglich.

BERGER: In der Jahnallee ham se heude Auspuffanlache un Krümmerdichtung.

KELLNER: Was ham se?

BERGER: Auspuffanlache un Krümmerdichtung. Ein Kollege von dr Bereitschaftspolizei hats mir gesteckt. Die habens von ihre Kollegen ibber Funk gekriecht. Auspuffanlache und Krümmerdichtung fürn Trabbi.

KELLNER: Für den Sechshunderteins?

BERGER: Sechshunderteins! Wie soll ich denn da rankommen? Nee, ich hab nurn Sechshunderter, gebraucht gekauft. Un wie gebraucht, Mann Gottes! Krümmerdichtung un Auspuffanlache, genau, was ich brauche. Awer ich komm hier nich wech.

KELLNER: Jo, das Läbn is hard. – Die rührn sich nich.

MUSCHKOWSKI: Konstantin?

KELLNER: Bin schon unterwegs. *Geht langsam und bringt Kaffee und Wasser von einem Tisch zu dem von Muschkowski.* Bitte, der Herr. Noch einen Wunsch?

MUSCHKOWSKI: Bitte noch einen Kaffee, Konstantin.

KELLNER: Is bereits in Arbeit, der Herr. *Geht zu Lotte und Luise, wedelt mit der Serviette über den Tisch, um die Tischplatte zu säubern.* Noch einen Likör, die Damn?

LUISE: Nehm mer noch einen, Lottchen?

LOTTE: Ich weeß nich.

LUISE: Einen letzten, Lottchen?

LOTTE: Na, ein letzten könn wir noch nehm. Ein letzter kann ja nich zu viel sein.

LUISE: Also, zwei Likörchen noch. Vom selben, bitteschön.

KELLNER: Zwei Pfefferminz, sin schon unterwechs. *Geht die leeren Tische entlang, wedelt mit seiner Serviette über die Tischplatten, verschwindet hinter der Küchentür.*

MUSCHKOWSKI: Warum greift denn niemand ein? Da müssen Ordnungskräfte eingreifen.

BERGER: Provoziern Se nich. Halten Se sich zuricke, Bürger. Ham Se verstandn?

MUSCHKOWSKI: Werde ich provozieren, junger Mann?

Habe ich provoziert, meine Damen? Ich trink in aller Ruhe meinen Kaffee und lege eine Patience. Das is ja nich strafbar, oder?

BERGER: Karten und Glücksspiele sowie Musizieren in öffentlichen Gasträumen sin nich erlaubt, Bürger.

MUSCHKOWSKI: Was, Glücksspiele! Die Karten sind mein Unglück.

LUISE: Die villen jungschen Leude. Gottchen, warum habbn die sich denn alle nibber gesetzt? Is das ne Demonschtration?

MUSCHKOWSKI: Na, freilich.

LUISE: Was denn, ne Demonschtration? Awer der 1. Mai war doch schon. Der is doch scho vorbei.

MUSCHKOWSKI: Die demonstrieren wegen der Paulikirche. Die wird doch abgerissen. Übermorgen wird sie gesprengt, die alte Universitätskirche, übermorgen Mittag. Aber das ist noch geheim. Das darf keiner wissen.

LOTTE: Davon hab ich gehört. Die schbrengn die Paulikirche.

LUISE: Heude?

LOTTE: Nich doch. Du hast doch gehört, der Herr sacht ibbermorchen.

MUSCHKOWSKI: Ist aber streng geheim, die Damen. Darf noch keiner wissen.

LUISE: Ach, un weil se de Kirche nu abreißen, desterwechen habn die jungschen Kerlchen son Nippich un sich uffn Platz gesetzt?

MUSCHKOWSKI: Freilich.

LUISE: Na, hoffentlich habn se Ungerziehhosen an. Is ja noch tichtich frisch uffn Platz.

LOTTE: Das is awer ooch schade drum. So ä scheenes Haus. Ooch wenns ne Kirche is, is doch ä scheenes Haus.

LUISE: Die wern sich scho was dabei gedacht habn, Lotte. Wer weiß, wozus gut is. Die machn sichn Kopp, das denkste dich gar nich, wie sehre.

MUSCHKOWSKI: Die machen sich keinen Kopf, die sprengen. Die wollen keine Kirchen. Die wollen überhaupt keine Kirchen in der Stadt, meine Damen. Wir werden es noch erleben, die sprengen noch alle Kirchen in Leipzig.

LOTTE: Was denn, ooch unsre Michaeliskirche?

MUSCHKOWSKI: Freilich.

LOTTE: Awer das geht doch nich. Die könn doch nich unsre Michaeliskirche in de Luft schbrengn. Die is doch völlich in Ordnung. Ä bisssel Putz fehlt hier un da, awer sunst is de reinewech tipptopp.

MUSCHKOWSKI: Sie werden es erleben, liebe Dame, die sprengen alles in die Luft, alle Kirchen und Pfarrhäuser. Opium für das Volk, wenn Sie verstehen, was ich meine.

BERGER: Provoziern Se nich, Bürger. Ich merke doch scho de mehrschte Zeit, wie Se provoziern.

MUSCHKOWSKI: Was denn, provozieren? Ist die Religion ein Opium für das Volk oder nicht? Nun, sagen Sie selbst, ist es oder ist es nicht?

BERGER: Das gehört ibberhaupt nich hierher.

MUSCHKOWSKI: Das sagt aber Ihr Lenin. Religion ist Opium für das Volk. Und deswegen müssen die Kirchen gesprengt werden. Alle. Ich habe doch Recht, junger Mann?

BERGER: Das weeß ich nich, Bürger. Hierinne kenn ich mich nich aus, da kann ich Ihn keene Auskunft erteilen. Dafür bin ich nich zuständig. Ich hab nur Provokationen zu verhindern. Und Sie, Sie sin mir uffgefalln.

LUISE: Opium? In der Michaeliskirche? Nee, da verwechseln Se was. Die Katholschen, die machn mit Opium rum. Die zünden das an und wedelns dann so hin un her, egal wech hin un her. Awer nich in de Michaeliskirche. Mer sin doch evangelisch.

LOTTE: Protestanten!

LUISE: Jo, mer sin Protestanten.

MUSCHKOWSKI: Hilft alles nichts, die Damen, wird alles gesprengt.

LOTTE: Da müsste doch Paster Bengsch ernd was wissen von. Davon hat er doch gar nischt erzählt. Nee, das gloobe ich nich. Da verwechseln Se was. Opium in de Michaeliskirche? Nee.

KELLNER *tritt auf mit einem Tablett, serviert Muschkowski ein Kaffeekännchen*: Ihr Kaffee, mein Herr. Ganz frisch gebrieht. Lassen Sen sich munden.

MUSCHKOWSKI: Danke, Konstantin.

KELLNER *stellt die Likörgläser auf den Tisch der Frauen*: Zwei Pfefferminze. Das wärn dann Nummer sieben un acht.

LOTTE: Sieben un acht? Das is zu viel, Luise. Da komm ich ja mit nem Schwips darheeme. Willi im Grabe und ich mitn Schwips, das geht nich.

KELLNER: Nu isses gebongt. Nu is eingeschenkt. Das geht nich mehr retour.

LUISE: Da hörstes. Awer das schaffen mer ooch noch, Lottchen. Is ja nicht ville drin im Gläschen.

KELLNER: Zwee Zenti, uffn Troppn genau. *Geht zum Fenster und sieht wieder hinaus.*

LUISE: Na denn, prost.

LOTTE: Brösterchen.

LUISE: Uff dein Willi.

LOTTE: Nee. Den trink ich jetz nich mehr uffn Willi. Den trink ich uff mich selbst. Un ich weeß, warum.

LUISE: Was haste denn, Lottchen?

LOTTE: Du, ich hab ä Sparbuch gefunden.

LUISE: Ä richtiches Sparbuch? Mit was druff? Wo denn? Uff der Schtraße?

LOTTE: Nee. Under Willis Sachen. Ganz versteckt mittemangk under die Kontoauszüche.

LUISE: N Sparbuch von Willi?

LOTTE: Jo.

LUISE: Un du hast nischt von gewusst?

LOTTE: Keen Sterbenswort hab ich gewusst.

LUISE: Un wie viel is druff?

LOTTE: Einunzwanzichtausend. Einunzwanzichtausend Mark.

LUISE: Na, das gefällt mir awer. Hastu awer oochn Glück. Einunzwanzichtausend. Das könnte mir ooch gefalln.

LOTTE: Was kann dir denn daran gefalln, sach mal?

LUISE: Na, ich bitte dich, Lotte, einunzwanzichtausend aus heiterem Himmel.

LOTTE: Un woher hats der Willi, das Geld? Woher hat er das de ganze Zeit gehabt, so pomadich wie er war?

LUISE: Määnst de, Willi hat underschlachn?

LOTTE: Ach, geh. Was du ooch rädst.

LUISE: Es gibt Buchhalter, die underschlachn.

LOTTE: Awer doch nich dr Willi.

LUISE: Nee, Willi nich. Awer woher kommt das ville Geld dann?

LOTTE: Er hats eingezahlt. Monat vor Monat achtzich Mark. Awer frach mich nich, woher er die achtzich Mark her hat. Die hat er mir jahrelang verheimlicht.

LUISE: Der wollte dich ieberraschen. Wenn er tot ist, wollter dich ieberraschen. Nu biste reich, Lotte.

LOTTE: Was du vorn Quatsch rädst. Der wollte mich nich ieberraschen, der hatte ganz was anners vor. Den hat nur der Tod ieberrascht, so siehts aus.

LUISE: Woher willste das wissen?

LOTTE: Weil er fünftausend Mark abgehoben hat. Vor zwei Monaten erscht, im März. Am 14. März hat er fünftausend Mark uff eenen Schlach abgehoben. Un du kannst mich uffn Kopp stelln, ich weeß nich wovor. Im März warns noch sechsunzwanzichtausend Mark. Und dann plötzlich, an eenem Tach, fünftausend Mark wenicher. Wovor hatter so ville Geld gebraucht?

LUISE: Spielschulden?

LOTTE: Dr Willi? Spielschulden?

LUISE: Oder …

LOTTE: Ja was: oder?

LUISE: Oder ne andre Frau.

LOTTE: Du sachst es, Luise. Das määch ooch. Fünftausend Mark an einem eenzchen Tach, da steckt ne andre Frau hinner.

LUISE: Awer bei Willi?

LOTTE: Stille Wasser sin dief. Un de Kerle sin sich alle gleich. Wenn de nich uffpasst, gehn se fremd.

LUISE: Awer glei fünftausend Mark. Das muss jan Feger sin.

LOTTE: Wenner länger geläbt hätte, wenn er nur ein Jahr länger geläbt hätte, das ganze scheene Geld wäre futsch. Un das Schlimmste, ich hätt nich ma gewusst, dass es zuvor da war.

LUISE: Das hätt ich nie im Läbn von Willi gedacht. Dem war doch egal wech alles schnuppe. Un mit der Penunse hatter sich immer gehabt wie sunst was.

LOTTE: Der hätte das ganze Geld durchgebracht. Der hätte sich vergnücht, un ich hätte ibberhaupt nischt gewusst von.

LUISE: Dr Willi! Son Wärchel awer ooch.

KELLNER: Es passiert reinewech gar nischt. Soll das den

ganzen Tach so weitergehn? Das ist nich abendfüllend. Un ich hab den Schaden. Se sehn ja selbst, das Lokal is leer, weil Se mit Ihrem Zaun alles abgesperrt habn. Kommt ja keener durch.

BERGER: Das is äne Ordnungsmaßnahme, Bürger. Von der Behörde.

KELLNER: Jo, awer ich hab kee Umsatz. Un wenn ich nischt verkaufe, gibts kein Trinkgeld. Das is ruinös für mich.

BERGER: Mir passts ooch nich. Grad heude. Wo se inner Jahnallee de Krümmerdichtung unnen Auspuff habn. Morchen früh ist doch nischt mehr da.

KELLNER: Klor. Morchen früh is alles wech. So viel is sicher.

BERGER: Grade heude. Ich hab einen Zorn in mir, das gannch gar nich sachn. Wenn ich de Krümmerdichtung nich krieche un den Auspuff, da gann ich den Urlaub dieses Jahr glatt vergessen. So wie er jetzt is, der Wagen, da komm ich doch nich zum Balaton runner. Der kräpelt mir doch unnerwechs ab.

KELLNER: Jo, n Auto is wiene Sparbüchse, da kann ma immerzu Geld neischmeißen.

BERGER: Der Lumich hat mich doch beschissn. Der hat die Löcher im Auspuff mit Alupapier ibberklebt und angepinselt, dass man nischt sehen tun konnte. Ich bin ja runnergekrochn unnern Wagen. Awer der awer ooch hat das so tickisch gemacht, nischt war von zu sehn. N halbes Jahr hat das Papier gehaltn, un dann hats gerumbst. Mei Liewer, awer wie.

KELLNER: Jo, beim Betrüchn gibts richtiche Kinstler. Da kann ma gar nich genuch uffpassn.

LOTTE: Die Kerle sind durch die Bank wech alle einer wie der andre. Traun darfste keinem. Un ich trau ooch keenem mehr.

LUISE: Da tuste recht dran, Lotte, niwwahr.

LOTTE: Keenem Kerl und keener Frau. Un ooch keener Freundin.

LUISE: Was meinste denn? Meinste epper manchmal mich jetz?

LOTTE: Ich sach gar nischt mehr. Der Tod von Willi hat mir die Oochen geöffnet. Das gannch dir sachen.

LUISE: Was simmelierste denn? Du hast doch was.

LOTTE: Gar nischt sach ich.

KELLNER: Wenn die Studenten ibbermorchen immer noch hier sitzen, da könn Se nich schbrengn.

BERGER: Das findet sich. Das geht alles nach dr Dienstordnung. Wie komm Se daruff, dass ibbermorchen hier was geschbrengt wird?

KELLNER: Na, die Paulikirche, die wollt ihr doch ibbermorchen in de Luft schbrengen.

BERGER: Ibbermorchen? Amtlich is das nich.

KELLNER: Nu, sachen Se bloß, Se ham nischt von gehört?

BERGER: Gehört is nicht amtlich. Was ich gehört habe, isn anrer Stiefel. Amtlich is das nich.

KELLNER: Un wieso sin Se dann hier? Warum is alles mit nem Zaun abgesperrt?

BERGER: Um Provokationen zu verhindern.

KELLNER: Un die villen jungen Leude da draußen, warum sinn die wohl auf dem Platze?

BERGER: Was weeß ich. Awer een Zorn hab ich uff die. Och, ich könnte zuschlachen, son Zorn habch. Grad heude.

KELLNER: Jo, morchen is nischt mehr in de Jahnallee, so viel is sicher. Da sin die Regale wie leer.

BERGER: Einer vonner Bereitschaftspolizei hats mir gesteckt. Krümmerdichtung un Auspuff, grad das, was ich brauche. Die ham ja Funk. Wenns irchendwo was

143

gibt, funken die nur. Da sin die uns allemal ibber. Polizei und Taxi, die funken nur, wenns was gibt, und mer könn sehn, wo mer bleibn. Den Balaton kann ich vergessn dies Jahr. Da bleibt nur das Grundstück. Dreißig Kilometer, das schafft er noch. Grade heude. Vor Zorn könntch mir zerruppen. Können Sie nich mal rasch rübber?

KELLNER: Wie bitte?

BERGER: Ich meine nur, könnten Sie nich mal rasch inne Jahnallee rübber. Is doch nurn Katzensprung. Un Kundschaft ham Se hier doch eh nich.

KELLNER: Ich soll? Für Sie? In die Jahnallee?

BERGER: Ich würds mir ooch was kostn lassn.

KELLNER: Na, das is awer tüchtich daneben, mei Gudster.

BERGER: N Blauen wärs mir wert. Uff de Hand. Versprochn.

KELLNER: N Blauer! Dafür stell ich mich drei Stundn an, wie? Un hier, wer sorcht hier für Ordnung? Nee, mei Gudster, das schlach dir ausm Kopp. Das kommt nich inne Tüte.

BERGER: N Blauer. Hier, gleich uff de Hand.

KELLNER: Behalt dei Geld, mei Briehnüschel. Ich wer doch nich mei Revier im Stich lassn.

BERGER: Was soll ich denn tun? De Frau is bei dr Mudder in Zitschen. Die kommt nich vor Freitach zuricke.

KELLNER: Schicksal. Das is Schicksal.

BERGER: Da bin ich awer angeschmiert. Hab ich ä Zorn.

KELLNER: So isses Läbn. Da hat das ganze Griebeln gar kee Sinn.

BERGER: Awer Sie, Sie merk ich mir, mein Liewer. Un ich kann tickisch wern, da bin ich richtich tichtich drin.

KELLNER: Mich gönn Se nich erschrecken. Ich hab mir nischt zuschulden kommen lassn.

BERGER: Ich merk Se mir.

LUISE: Haste gemerkt, Lotte, das is ä Grimineller.

LOTTE: Nee, das is kee Grimineller. Das is ä Geheimer. Die Griminellen habn ne Uniform.

LUISE: Un alles wechen de jungen Leude uffn Platz. Awer die tun doch nischt. Die sitzen doch nur rum.

LOTTE: Rumsitzen is eben verbotn.

LUISE: Warum denn? Warum is denn rumsitzen verboten?

LOTTE: Die könn sich doch manierlich in ä Café setzen wie wir zwei beeden.

LUISE: Awer die wolln doch demonschtriern. Wechen dr Paulikirche. Da könn se sich doch nich in ä Café setzen. Was soll denn das vorne Demonschtration sein?

LOTTE: Demonschtriern is eben verboten.

LUISE: Awer wenn se de Paulikirch ooch schbrengn wolln, da isses doch mutich, dasse demonschtriern.

LOTTE: Freilich isses mutich, awer es is verbotn.

LUISE: Darum isses ja mutich, weils verbotn is. Kurasche habn de jungschen Leude, den Hut möcht man ziehn.

LOTTE: Wie gehts denn nu weiter. Es passiert ja gar nischt da draußen.

LUISE: Wär zu schade, wenn se de Kirche bis uffn Grund niedermachn. Ä so scheenes Gebäude.

LOTTE: Wenn die oben entschiedn habn, kannste nischt machn. Das wern de jungen Leude ooch noch lärn.

LUISE: Solln se das scheene Gebäude ooch zermärscheln? Das muss doch de Gläubchen embeern.

MUSCHKOWSKI: Da sind nicht viele Gläubige darunter, das können Sie mir glauben.

LUISE: Awer ne Kirche glei abreißen.

KELLNER: Was machen die denn nu?

BERGER: Was denn? Ich seh gar nischt.

KELLNER: Die rufn doch was, oder? Hörn Se das nich?

BERGER: Nee.

KELLNER: Nee, die singn. Die singn ä Lied. Hörn Se?

BERGER: Ich muss telefoniern. Geben Se mir das Telefon.

KELLNER: Öffentlich ham mer keen Telefon. Nur vorn Dienstgebrauch.

BERGER: Das is vorn Dienstgebrauch. Ich telefonier doch nich privat während der Dienststundn.

KELLNER: Weeß mans. Vielleicht wolln Se wechen der Krümmerdichtung anrufn.

BERGER: Es is dienstlich, Mann. Nu gebn Se das Telefon her.

KELLNER: Jo, das is Ihr Dienst. Awer mei Diensttelefon is ausschließlich vor mein Dienst.

BERGER: Gebn Se her.

KELLNER: Da muss ich erscht den Chef frachn. Un der is außer Haus.

BERGER: Ich fordere Sie zum letztn Mal auf, Bürger. Zum letztn Male.

KELLNER: Na, vorehr ich mich schlachen lasse. *Geht zum Tresen, Berger folgt ihm, der Kellner stellt das Telefon auf den Tresen.* Welche Nummer soll ich wähln?

BERGER: Das is geheim. Ich wähle selber.

KELLNER: Ganz ausgeschlossen. Ich muss doch wissn, ob Stadt oder Fern.

BERGER: Es is Stadt. Und ich wähle geheim.

KELLNER: Das muss ich genau wissen, und desterweechen muss ich selber wähln. Anweisung vom Chef. Ansonsten muss ich Ihnen Fern berechnen. Un das kostet.

BERGER: Nur dass ich Se richtich verstehe, Bürger: Se wolln mich nötichen, mich, eine Amtsperson, Ihnen ne geheime Telefonnummer auszuhändichen?

KELLNER: Ich sach nur, was der Chef sacht.

BERGER: Das kann Sie teuer zu stehn komm. Verrat eines Dienstgeheimnisses.

KELLNER: Ich verrate nischt. Ich habe gar keene Geheimnisse, die ich verraten könnte. Awer bitte. *Nimmt die Hand vom Telefon.* Stadt macht zwanzich Fennge.

BERGER *wählt eine Nummer, die anderen bemühen sich, ihm zuzuhören*: Hier is Berger. Ich muss den Genossen Baumann sprechen. – Genosse Baumann, hier is Berger. Die singn jetz. – Nee, das weeß ich nich. Kann ich von hier aus nich hörn. – Ich verstehe. – Also nich eingreifn. – Ich verstehe: weiter abwarten. – Nee, das is alles. Weiter passiert nischt, reinewech gar nischt. – Ach, ich hätt noch ne Frache. Ich müsste aus privaten Gründen mal kurz wech. – Nee, ganz privat, awer dringlich. – In de Jahnallee. – Neeneenee, nich ins Autohaus. Es is was dringlich Familiäres. Wenn mich da mal einer kurz ablösen könnte. – Jo, ich hab verstandn. – Jo, mach ich. *Legt den Hörer auf.*

KELLNER: Kein Erfolch gehabt?

BERGER: Ham Se gelauscht?

KELLNER: Nee. Zwanzich Fennge, bitte.

Berger bezahlt, geht zum Fenster zurück.

MUSCHKOWSKI: Das ist ein ganz scharfer Hund.

KELLNER: Mir kann er nischt. Un mir macht der ooch keene Angst. Nochn Kaffee?

MUSCHKOWSKI: Danke. Ich habe noch.

KELLNER: Und Sie? Noch zwee Pfefferminze?

LUISE: Da ham Se eechendlich ooch recht.

LOTTE: Escha, Luise, ich bin scho ganz töpprich. Nee, keenen Likör. Liebern Kaffee.

LUISE: Na schön. Also zwee Töppchen Kaffee bitte.

KELLNER: Kaffee is nich.

LUISE: Warum is denn kee Kaffee?

KELLNER: Se sehn doch selbst: keene Kundschaft. Vor

zwee Tassen Kaffee kann ich nich die Maschine an-
schmeißen. Das werde ich doch heude nich los. Heude
mache ich Manko, wegen der Absperrung mit dem Po-
lizeizaun.

LUISE: Awer der Herr trinkt doch Kaffee.

KELLNER: Der Herr is Stammgast.

LUISE: Awer mer sitzn jetz so lange hier, mer sin doch
ooch scho Stammgäste.

LOTTE: Kee Kaffee?

LUISE: Nee. Weechen da draußn. Weechen der Studenten.

LOTTE: Weechen der Studenten?

LUISE: Weil se de Paulikirche sprengn, kriechn mer kee
Kaffee.

LOTTE: Weechen der Paulikirche? Na, das is doch ä
Schgandahl.

KELLNER: Pfefferminze oder was?

LUISE: Jo, da bring Se noch een Likör für uns beede.

LOTTE: Na schön. Wo er nun scho unger der Erde is. Ä so
fischilantes Kerlchen war er. Fischilant bis zum
Schluss.

KELLNER: Zwei Pfefferminze, die Damn. *Geht ab.*

LUISE: Ham Se das gehört? Keen Kaffee! Wechen der Paulikirche!

MUSCHKOWSKI: Unter der Politik leidet das Gewerbe, das
war immer so.

LUISE: In einem Café keen Kaffee! Das is ja wie im Kriech.

MUSCHKOWSKI: Ausnahmezustand. Alles ist abgesperrt. Da
kann der Kellner nichts machen. Da muss jeder ein
Opfer bringen.

LUISE: Na, Sie ham ja Kaffee. Sie müssn keen Opfer
bringn.

MUSCHKOWSKI: Ein Vergnügen ist das nicht, meine Damen.
So ein leeres Café hat doch keine Atmosphäre.

KELLNER *kommt mit Likörgläsern, bleibt bei Muschkowski stehen und sieht ihm beim Mischen der Karten zu*: In Wurzen hat sich scho eener eemal dodgemischt.

MUSCHKOWSKI: Das ist Patience, Konstantin. Da braucht man Geduld zu.

KELLNER: Vor mich wär das nischt. Egal wech uffn Beenen, egal wech Stress, da hat ma keene Geduld. Das kannch mir gar nich leistn. Stelln Sie sich mal hierher.

MUSCHKOWSKI: Ich weiß, Konstantin, Sie sind eifrig. Darum komm ich auch so gern zu Ihnen.

KELLNER *bringt den Likör zu den Frauen*: Pfefferminze, Nummer neun un zehn, die Damn. *Er geht zum Fenster.* Jetz sing se nich mehr. Wolln Se nich anrufn un sachn, dass se nich mehr singn?

BERGER: Sie ham mir nich zu sachn, was ich zu tun habe.

KELLNER: Da ham Se eechendlich ooch recht. Na, die Krümmerdichtung un der Auspuff, die wern jetz scho ausverkauft sein.

BERGER: Sie wolln scho wieder provoziern, Bürger. Ibberlechen Se sich genau, was Se sachn.

KELLNER: Ich sach gar nischt. So ville Geheime uffn Platze, da könn Se doch eechenlich zugreifn.

BERGER: Was denn vor Geheime?

KELLNER: Na, die Spitzel. Sehn Se die nich?

BERGER: Wie wolln Se denn das wissn?

KELLNER: Die erkenn ich. Een Blick, un ich erkenn se. Der da is eener. Und der da mit dem blauen Anorak. Un der neben der Laterne.

BERGER: Neben der Laterne? Rechts oder links?

KELLNER: Der mit dem Anorak un dem Stoffbeutel. Der so ausschaut als kommter von ner Kuhbläke. Und der dann am Zaun, hinnerm Hydranten, mit dem roten Anorak. Un hier vorne der, der mitschreibt.

BERGER: Der? Nee, der nich.

KELLNER: Ich erkenn se mit eenem Blick.

BERGER: Wie denn?

KELLNER: Na, die guggn so.

BERGER: Wie denn? Wie guggn die denn?

KELLNER: Na, so ticksch. So ganz unauffällich, dass mans eben glei merkt.

BERGER: Also, ich seh keene vonner Sicherheit, Bürger.

LUISE: Biste noch beese mit mir, Lottchen? Du ziehstn Flunsch wie drei Tache Räächenwetta, un ich weeß ibberhaupt nich, was mit dir los is.

LOTTE: Awer ich weeß es.

LUISE: Wenn dus weeßt, is doch gut. Da müssn mer doch nich preußsch mitenanner sein.

LOTTE: Das sachste nur, weildes nich wissen willst.

LUISE: Was soll ich denn wissn?

LOTTE: Under die Kontoauszüche hab ich nich nurn Sparbuch gefunden, Luise. Nich nurn Sparbuch.

LUISE: Was denn noch? Noch mehr Geld?

LOTTE: Nee. Briefe.

LUISE: Was denn vor Briefe?

LOTTE: Weeßte das nich?

LUISE: Nee.

LOTTE: Kannste dir das nich denken?

LUISE: Woher denn?

LOTTE: Vonner Frau. Briefe vonner Frau. Weeßte nu Bescheid? Ich weeß jetz alles, Luise.

LUISE: Liebesbriefe?

LOTTE: Nee. Briefe an en verheirateten Mann, das sin keene Liebesbriefe. So was is Schweinekram.

LUISE: Dr Willi? Dei Willi hat Liebesbriefe gekriecht?

LOTTE: Jo.

LUISE: Escha. Na, das is ja ne Sensation. Das wär mir im

Läbn nich eingefalln. Dr Willi awer ooch. Hat er dich mit ner annern Frau belemmert. Haste se gelesen, die Briefe?

LOTTE: Alle. Alle hab ich gelesen.

LUISE: Un?

LOTTE: Die Frau is ä Ferkel. Was die vor Worte inn Mund nimmt, da bin ich direkte rot gewordn.

LUISE: Herrjehmerschnee, dr Willi. Un kennste die Frau?

LOTTE: Das isses ja. Ich weeß es nich genau. Die Adresse stand nich dabei. Die Briefumschläche warn alle fort. Nur der Vorname von dieser ausgeschamten Person steht da.

LUISE: Un wie heeßt se?

LOTTE: Das isses ja. Die heeßt Luise.

LUISE: Na, das is awer gelungn. Die heeßt genau wie ich.

LOTTE: Jo.

LUISE: Un noch eene Luise kennste nich?

LOTTE: Nee. Ich kenn nur eene Luise.

LUISE: Was meenste denn damit?

LOTTE: Ich meene gar nischt. Awer es is doch seltsam. Mei Willi hat Liebesbriefe von eener Luise unter den Kontobelechen, un ich kenn nur eene Luise.

LUISE: Un du gloobst, dass ich un dr Willi –?

LOTTE: Ich gloobe gar nischt. Awer es is doch seltsam. Die Frau heeßt Luise, und ich kenn eben nur eene Luise.

LUISE: Bei dir piepst wohl?

KELLNER: Die ham eene Zeit awer ooch, die Studenten. Die ham wohl gar nischt zu tun die ganze Zeit. Die solln doch studieren und nich rumsitzn.

BERGER: Jo, un alles auf unsre Kosten.

KELLNER: Un euch müssen mir ooch noch bezahln. Was das kostet, der ganze Einsatz! Müssen mir alles bezahlen.

BERGER: Nee, das kostet die Bevölkerung keenen Fenng. Das bezahlt der Staat alles.

KELLNER: Un woher nimmt sich der Staat das Geld?

BERGER: Sie sin wohl dagechen? Sie sin wohl gechen unsre Maßnahme?

KELLNER: Dagechen? Nee. Ich bin eechendlich neutral. Meine Frau geht in de Kirche, die findts nich in Ordnung. Die sacht, das is ne Kulturschande. Awer ihr Bruder, was mei Schwager is, der sacht immer, nischt geht ibbern Abriss. Uff der eenen Seite meine Frau, uff der annern mein Schwager. So gesehn, muss ich neutral sein.

BERGER: Un Ihr Schwager is tatsächlich dafür?

KELLNER: Jo.

BERGER: Na, da sehn Ses. Da ham Se wenichstens eenen Fortschrittlichen inne Familie.

KELLNER: Mei Schwager is an un für sich n guder Schkatspieler. Er hat ne Baufirma, sone kleene. Vielleicht kenn Se se manchmal. Am Pfandhaus vorbei, glei hinner dr großen Esse. Ne ganz kleene Bude. Nur er un drei Mann. Abriss un Uffbau, alle Gewerke. Awer mei Schwager sacht, bei Abriss verdient er das Doppelte, eemal den Abriss, un denn kann ma de Steine in dr Mühle zermärscheln un annen Schtraßenbau verkaufn. Da kann er zweemal kassieren. Abriss bringtn mehr Geld als Uffbau. Der hätt Ihnn mit seine drei Mann de Kirche in zwee Jahrn zerlecht. Ganz langsam. Wär gar nich uffgefallen, so langsam. Mei Schwager sacht immer, wenn Se ooch noch das Völkerschlachtdenkmal abreißen wolln un seine Bude den Auftrach vor kriechen würde, da hätt er vor sein Läbn ausgesorcht. In zehn Jahrn hätt ers abgerissen, garantiert. Wollt Ihr das Völkerschlachtdenkmal ooch noch zermärscheln?

BERGER: Das Völkerschlachtdenkmal? Weeß ich nich. Alles erfahrn mer ooch nich.

LUISE: Ich un dei Willi? Nee. Nich geschenkt. Als Mann war der ne Lusche.

LOTTE: Der Willi?

LUISE: Jo. Er warn ordentlicher Kerl, awer als Mann, nee.

LOTTE: Wie rädst du denn ibbern Willi? Ibbern Verstorbnn?

LUISE: Ich sach nur, wies is. Warn feiner Kerl, awer als Mann der reinste Nieselprim.

LOTTE: Un das sachste am Tach seiner Beerdchung? Der ist noch fast warm, da da rädst du so ibber mein Willi?

LUISE: Nur, weil du mich im Verdacht hast, Lotte.

LOTTE: Un ich setz mich noch mit dir in ä Café, awer ooch.

MUSCHKOWSKI: Es passiert gar nichts. Im Café keine interessanten Gäste – mit Verlaub, die Damen, die Anwesenden ausgenommen –, und auf dem Platz tut sich auch nichts. Da hatte ich mir heute mehr versprochen. *Zu Berger:* Wollen Sie nicht eingreifen? Das ist doch verboten, was die tun, oder?

BERGER: Mer warten ab. Mer habn alles unter Kontrolle.

MUSCHKOWSKI: Aber wenn die Studenten übermorgen auch noch da sitzen, da können Sie nicht sprengen.

BERGER: Was mer ibbermorchen machn, das wird operativ entschieden.

MUSCHKOWSKI: Sprengen können Sie nicht. Ich bin Kriegsteilnehmer, ich habe Erfahrungen. Und das kann ich Ihnen sagen, die Zivilisten behindern die schönste Planung.

BERGER: Mer entscheidn operativ.

MUSCHKOWSKI: Das hat unser Zugführer auch gesagt. Und einen Tag später waren wir alle in Kriegsgefangenschaft.

BERGER: Ich fordre Se auf, Bürger, provoziern Se nich.

MUSCHKOWSKI: Was habe ich denn gesagt. Ich denke doch nur vor mich hin.

BERGER: Mischen Se sich nich in amtliche Untersuchungen.

LUISE: Der is scharf wien Fleischerhund. Passen Se uff. Am besten, man sacht gar nischt.

MUSCHKOWSKI: Oh, der Abriss ist nicht ohne Delikatesse, meine Damen. Die alte Kirche hat noch einen kräftigen Glockenschwengel. Da soll man sich hüten, die große Glocke zu läuten. Die kann einem um die Ohren fliegen.

BERGER: Mer brauchn Baufreiheit, Bürger. Un die Kirche steht im Wech. Wir werdn diesen Schblitter aus unserm Ooche ziehn. Das is unsre Stadt schließlich.

MUSCHKOWSKI: Die Paulinerkirche ist über siebenhundert Jahre alt. Die hat Luther noch geweiht. Das ist Kulturgeschichte, mein Herr. Da passen Sie nur auf, dass die Kirche Ihnen nicht womöglich auf die Füße fällt.

BERGER: Bürger, Leipzsch is rot. Und rot wars und bleibts.

MUSCHKOWSKI: Lieber Herr, das ist ein sehr kurzer Abriss der Historie. Kurfürstenstadt, das königliche Leipzig, wo bleibt das? Ist das bei Ihnen untern den Tisch gefallen? Springt Sachsen so eifrig in die neue Zeit, dass alles vergessen wird?

LUISE: Machen Se sich nich unglücklich, der Herr.

BERGER: Ich merk scho, was Sie vor einer sin. Awer mer räumen auf, mer machn die Stadt sauber. Und Sie, Bürger, werdn uns nich daran hindern.

MUSCHKOWSKI: Werde ich Sie hindern, junger Mann? Ich bin im Ruhestand. Seit Stalingrad halte ich mich raus. Seit Stalingrad bin ich politisch nicht mehr aktiv. Aber wenn Sie hier Erfolg haben wollen, dann müssen Panzer auffahren. Mit Panzern und Wasserwerfern haben Sie den Platz gleich leer gemacht.

BERGER: Wie mein Se denn das?

MUSCHKOWSKI: Nur ein Ratschlag, junger Mann. In aussichtslosen Situationen müssen die Panzer ran, war immer so.

BERGER: Soll das ne Provokation sein, Bürger?

MUSCHKOWSKI: Nein, ich rede nur aus Erfahrung. – Aber ich sehe schon, die Partie geht nicht auf. Patience, meine Damen, ist ein königliches Spiel. Ich kann die Karten nach Belieben aufnehmen und neu mischen und keiner darf protestieren. Ich habe nie Ärger. Sehen Sie, ich mische die Karten neu, und alle Hoffnung liegt jetzt im verdeckten Blatt. Ja, jetzt lässt es sich besser an.

LUISE: Das is ä feiner Herr, Lotte. Vornehm, Lotte.

MUSCHKOWSKI: Ich muss die Damen um Entschuldigung bitten. Die Karten werden mir Unaufmerksamkeit nicht nachsehen.

KELLNER: Wern die noch lange da sitzn?

BERGER: Darüber darf ich Ihnn keene Auskunft erteilen.

KELLNER: Ich frach nur, weil die dann sicher alle n Kaffee habn wolln. Dass ich die Maschine beizeiten anschmeiße. Wenn die alle uff eemal komm, das wirdn Gewürche, da graut mir jetz scho vor. Da kann ich mich wieder tichtich ibberschlachn. Da bräucht ich nochn Aushilfskellner, das is anners nich zu schaffn.

BERGER: Wo die nacher hinkomm, das is noch gar nich sicher.

KELLNER: Wolln Sie die alle ins Gefängnis steckn? Ham Sie denn so ville Zelln?

BERGER: Von mir erfahrn Se nischt.

KELLNER: Jetz rufn se was. Hörnse?

BERGER: Jo. Was rufn die denn? Sein Se mal ganz stille.

KELLNER: Hörnses nich? »Mach mit. Mach mit für dein Leipzsch, was dir am Herzen liecht.« Ma hörts doch ganz deutlich.

BERGER: Das is ne Provokation.

KELLNER: Nee, das is keene Provokation. Das könn Se ooch inner Zeitung lesen. Das steht doch jeden Tach inne Volkszeitung.

BERGER: Wenn die das hier rufn, isses ne Provokation.

KELLNER: Ach was. Awer wenn Se mein, dann müssen Ses melden.

BERGER: Wolln Se mich belehrn? *Er schreibt etwas auf, der Kellner schaut ihm dabei über die Schulter.*

KELLNER *diktiert*: »Am Herzen liecht.« Genau. Awer Herzen schreibt man doch nich mit »tz«. Nur mit einfachem »z«. Keen hartes »t«. N einfaches »z«. Ja, so.

LUISE: Rädst du nich mehr mit mir? Was hab ich denn gesacht?

LOTTE: Du hast ibber einen Toten abfällich geredet.

LUISE: Woher denn? Ich hab nur gesacht, dr Willi warne Lusche. Als Mann, määch.

LOTTE: Als Mann? Woher willste das denn wissn?

LUISE: Von dir, meine Beste. Hast du das scho vergessn?

LOTTE: Das hatt ich doch nur im Zorn gesacht. Da darfste mir heude keen Strick draus drehn, heude, wo er dod is. Awer freilich, n feuricher Liebhawer warer nich.

LUISE: Awer ne Freundin hat er gehabt. Immerhin.

LOTTE: Zu gerne möcht ich wissen, wer diese Schlampe is, diese Luise.

LUISE: Na, ich wars nich.

LOTTE: Ich weeß es nich.

LUISE: Du hast ja die Briefe gelesen. War das meine Handschrift? Nee.

LOTTE: Ne Handschrift kann ma verstelln.

LUISE: Ich un dr Willi! Du hast Einfälle. Der nimmt sich doch nich so ne olle Scharteke wie mich. Der wird sich ne Jüngere ausgeguggt habn.

LOTTE: Ne Jüngere? Na, die muss fei schön blöd sein.

LUISE: Blöd, awer jünger. Die Blödichkeit wirdn Willi dabei nich gestört habn. Die Kerle sin doch alle gleich. Das kenn ich noch von meinm Herbert selig.

LOTTE: Weeßte, was mich am meisten wurmt? Dass er die fünftausend Märker vom Konto der innen Hals gesteckt hat.

LUISE: Meinste wirklich?

LOTTE: Freilich. Wo sin se denn sonst gebliebn? Fünftausend, das hättch doch irchendwie gemerkt.

LUISE: Da haste eechendlich ooch recht. Ne Frau merkt so was.

LOTTE: Und wenn dr Willi weiter geläbt hätte, dr hätte das ganze schöne Geld pö a pö mit der durchgebracht.

LUISE: So gesehn, is es ja fast ne Gnade, dass er gestorbn is.

LOTTE: So gesehn, ja. Da is es wien Gottesgeschenk, dass er heimgerufn wurde.

LUISE: Der war zeitläbens ne tüchtche Lusche.

LOTTE: Jo, ville los war nich mit ihm. Awer dass er mir das Geld verheimlicht hat, da könnt ichn heud noch vor erwürchen. Und dabei hab ich immer uffgepasst.

LUISE: Als Frau kannste gar nich so uffpassen, wie die Kerle tickisch sin.

KELLNER: Nu horchen Se. Da tut sich was. Hörn Se nischt?

BERGER: Freilich tut sich was.

KELLNER: Hörn Se? Das sin schwere Motorn. Ob das Panzer sin?

BERGER: Es geht alles nach Plan, Bürger.

Kellner: Jetz komm se. Jetz kann mans sehn. Es sin Wasserwerfer, keene Panzer. Zwee Sticker.

Muschkowski *steht auf und tritt ans Fenster*: Na, sehen Sie, was habe ich gesagt. Im Notfall ist nur auf Panzer und Wasserwerfer Verlass. Das wissen auch Ihre Genossen.

Berger: Treten Se zurück. Behindern Se nich die Maßnahmn.

Muschkowski: Was behindern wir denn? Die werden doch nich ins Café spritzen wolln?

Kellner: Glei gehts los. Nu sin die jungn Leude scho ganz ruhich gewordn. Gleich wern se was erläbn.

Luise: Mer komm jetz hier nich mehr wech, Lotte. Wenn mir jetz rausgehn, wern mer glei verhaftet.

Lotte: Verhaftet? Härrjehmerschnee, wie komm ich denn dadrzu?

Luise: Klor. Die nehm jeden mit.

Lotte: Ooch uns Olle?

Luise: Jo. Die nehm jeden. Die nehm ooch uns.

Lotte: Was wolln die denn mit zwee olle Scharteken wie mir?

Luise: Für die is das alles ä Uffwasch.

Kellner: Nu is die Rotte Korah awer ganz stille uffn Platze.

Muschkowski: Sehen Sie, die bauen eine Barrikade. Die bauen aus der Absperrung eine Barrikade. Die sind gar nicht dumm, die Kinder. Über das Gestänge kommt der Wasserwerfer nicht rüber. Da müssen Ihre Genossen doch noch die Panzer schicken. Was ich gesagt habe.

Berger: Barrikade is verbotn. Das is ne Provokation. Jetz muss ich eingreifn. *Geht rasch von der Bühne.*

Lotte: Haste gesehn, Ischen, jetz greift der Geheime ein. Na, nu wirds zu arch.

Luise: Hat de mehrschte Zeit nur rumgestanden un alles

ausbaldowert. Hat egal wech nur gelunzt un herumge-
lurchst, awer nu is er ticksch.

LOTTE: Grantich war er eh scho.

LUISE: Pass uff, das wird ä Tralarich gäbn. Schau, da is er
scho, uffn Trittewar.

KELLNER: Nu guggen Se bloß. Is das ä Gewaltmensch. Der
schla'et uff de Leude ein. Is das ä Wärchel.

MUSCHKOWSKI: Tatsächlich, er prügelt drauflos.

LUISE: Escha, un mer ham fast mit ihm gerädt. Hier hat er
gestandn un simmeliert.

KELLNER: Das wird nich gut abgehn, nee, awer der awer
ooch.

MUSCHKOWSKI: Jetzt spritzen sie.

KELLNER: Jo, un de jungen Leude spritzn ooch. Spritzn
vom Fleck wech. Un wie se spritzn, awer ooch.

MUSCHKOWSKI: Und mit dem Rohr immer von der Seite ins
Zentrum. Vom Rand wegsäbeln, auf die Mitte zu. Die
können es. So haben wir es auch gelernt, damals.

KELLNER: Jetzt hats unser Kerlchen erwischt, den Gehei-
men. Jetzt ham se den eichenen Mann voll getroffen.
Na, der is durch und durch nass.

MUSCHKOWSKI: Berufsrisiko. Aufklärer haben immer eine
hohe Ausfallquote. War bei uns nicht anders.

KELLNER: Der is ja nich dod.

MUSCHKOWSKI: Aber voll erwischt. Im richtigen Krieg wäre
er tot.

LOTTE: Der is klitschnass. Den kannste auswringen wien
Lappen.

LUISE: Jetz is er fei inne Bredullche.

LOTTE: Der is doch äbich, der Lumich. Mittemangk quen-
gelt er herum un geht partuh nich vom Platze. De jungschen Leude habn sich davongestiebelt, awer der is zu
kommod un macht sich nich von hinne.

Luise: Der kommt zuricke. Der Nieselprim kommt zuricke.

Lotte: Na, der wirdn Flunsch ziehn.

Luise: Sei stille. Der is grätich.

Lotte: Das war er scho vorhins.

Luise: Nu wirder epper ticksch sein.

Lotte: Statts er manierlich hier stehn bleibt, stellt er sich uffn Platze.

Berger tritt klitschnass auf.

Luise: Sei stille, sunst werd ihr beede noch ä Paar.

Berger: Das Telefon.

Kellner: Bleibn Se stehn. Se trippeln mir doch alles voll. Den scheenen Teppich.

Berger: Das Telefon. Sofort.

Kellner *bringt ihm das Telefon, soweit die Strippe reicht*: Bitte schön. Na, Sie sehn aus. Ham de eichenen Leude Se nich erkannt, Herr?

Berger wählt, alle anderen beobachten ihn interessiert.

Muschkowski: Sie sind wohl nass geworden, der Herr?

Berger: Den Genossen Baumann. – Hier is Berger. Ich muss Ihnen melden ... – Wie? – Ach, Se habns schon gehört. – Jo, klitschnass. Völlig durch, oochs Ungerhemde. Ich muss nach heeme machen, dass ich mich nich erkälte. – Freilich. – Jo, ich hab verstandn. Gleich morchen früh. Jo. *Legt auf, gibt den Apparat dem Kellner.*

Kellner: Zwanzich Fennge.

Berger sucht in den nassen Kleidern nach Geld.

Na, lassen Ses gut sein. So wie Se aussähn, schenk ichs Ihnn.

BERGER: Danke.

KELLNER: Nu könn Se noch rasch inne Jahnallee rübber. Awer passn Se uff, wenn Se ne neue Auspuffanlache kriechn, dass se nich glei rostet, so nass wie Se sin.

Berger geht ab, Muschkowski setzt sich wieder an den Tisch.

Nochn Kaffee, der Herr?

MUSCHKOWSKI: Ja, einen Kaffee und einen Cognac dazu. Ist doch schließlich noch ein interessanter Nachmittag geworden. Ein Erlebnis, Konstantin.

KELLNER: Jo, ä Erläbnis, awer wer bezahlt mir mei Manko, das ich heude habe?

MUSCHKOWSKI: Wir müssen alle Opfer bringen, Konstantin.

KELLNER: Wem sachn Se das! – Un die Damn? Jetz is ooch Kaffee. Nu schmeiß ich die Maschine an, nu is ja die Demonschtration vorbei.

LUISE: N Kaffee, Lotte?

LOTTE: Ich weeß nich. Wenn mer so durcheinanner trinkn, das bekommt mir nich. Bleibn mer lieber beim Likörchen.

LUISE: Da haste eechendlich ooch recht. – Zwei Likör, bitte.

KELLNER: Pfefferminze, Nummer elf und zwölf. Is recht. Ich flieche. *Geht ab.*

LUISE: Nur gut, dass mer beede wieder miteinanner gut sin, mei Lottchen.

LOTTE: Awer wer diese andre Luise is, mecht ich zu gerne wissen.

LUISE: Wird ernd ne Jungsche sein, määch.

LOTTE: Ne Jungsche? Mei Willi un ne Jungsche? Eebarmich, die wär epper blöd.

LUISE: Freilich isse blöd. Jung un dämlich, so wollns doch de Kerle.

LOTTE: Wennch den heude nich beerdicht hätte, dem würd ich awer was erzähln. Mei Läbn lang hab ich mich vorn uffgeruppelt. Sone Frau findste heude nich mehr.

LUISE: Wissen mer doch, Lottchen.

LOTTE: Der hatte jeden Tach ä reines Hemde an. Ich hätt ihn ooch anners nich ausm Haus gelassn.

LUISE: Bei dir nich anersch, Lottchen. Na, da wern mer noch zwee kleene Gläschen uff die Beerdchung trinkn.

LOTTE: Ischen, dass mir awer bloß nich drüschelich wird.

HIMMEL AUF ERDEN

Lustspiel

PERSONEN

Horst, *ein Zimmermann, 40 Jahre*
Heinz, *ein Maurer, 35 Jahre*
Yvonne, *eine Tänzerin der Himmel-auf-Erden-Bar, 35 Jahre*
Elsa, *Faktotum der Himmel-auf-Erden-Bar, 60 Jahre*

Ort der Handlung

Der Gastraum von »Himmel auf Erden«, einer Bar in einem norddeutschen Dorf. Mehrere kleine Tische stehen vor einer kleinen Tanzfläche; rechts ist ein Teil der Theke zu sehen, hinter der Theke führt eine Tür in die hinteren Räume; die Stühle sind hochgestellt, ein Staubsauger steht mitten im Raum.

Es ist 11 Uhr vormittags. Die Bar ist völlig leer, weder Gäste noch Personal sind zu sehen. Elsa kommt in einer Kittel-schürze und mit einem Eimer aus der Küche, wischt die winzige Tanzfläche und verschwindet mit dem Eimer wieder.

Dann treten Horst und Heinz auf. Horst, ein großer stämmiger Mann in schwarzem, abgenutztem Zimmermannsanzug, trägt einen Filzhut, den er, wenn er sich später an den Tisch setzt, abnimmt und an seinen Stuhl hängt.

Heinz trägt weiße Maurerkleidung und eine Baseball-Mütze, die er nie abnimmt. Beide sind leicht angetrunken.

HEINZ *versucht, Horst in die Bar zu ziehen:* Komm rein, komm rein, eh uns einer sieht. Es muss uns ja nich jeder sehn.

HORST *erscheint in der Tür:* Wat is? Is es verbotn, in eine Bar zu gehn? Bin ick n freier Mann oder nich?

HEINZ: Du bist ein freier Mann, aber es muss ja nich jeder hergelaufene Idiot sehn, wie wir in de Bar gehn. *Er zieht ihn herein, schließt die Tür.* Du denkst dir gar nichts dabei und kommst plötzlich ins Gerede.

HORST *öffnet demonstrativ die Eingangstür wieder:* Ick bin n freier Mann. Ick geh hier rein, und da kann mir zusehn, wer will.

HEINZ: Mach endlich de Tür zu.

HORST: Kann jeder sehn. Jeder.

HEINZ: Mach de Türe zu. Mach sie endlich zu.

HORST: Bitte. Wenns dich beruhigt. *Er knallt sie zu.* Zu isse. Ick bin n freier Mann, und da kann ick hingehn und reingehn, wo ick will. Muss mich nicht versteckn.

Heinz: Du hast in diesem Dorf auch keine Verwandt-
schaft wohnen. Du musst keine Rücksichten nehmen,
nicht wahr. Deine Schwiegereltern wohn nicht hier, da
kannste laut herumtönen. Und überhaupt, ick wollte
hier nicht rein. Für so wat hab ick kein Geld für übrig.

Horst: Kommst du mit deiner Ansprache auch einmal zu
einem Ende? Oder?

Heinz: Dat war dein Einfall.

Horst: Komm ick auch mal zu Wort oder kann ick dat für
heute vagessen?

Heinz: Ick bezahle keinen Pfennig hier drinnen, dat hadd
ick dir seggen. Keinen Pfennig. Nicht für so wat. Dat
habe ick nich nötig.

Horst: Habe verstandn. Horscht lädt ein. Schluck unn
Bier gehn auf meine Rechnung. Vadder zahlt.

Heinz: Dafür werfe ick kein Geld raus. Nach so wat wie
hier, da kuck ick gar nich nach hin.

Horst: Schon gut. Vadder zahlt. Schluck unn Bier gehn auf
mich. Wat vielleicht eventuellerweise darüber hinaus-
geht, dafür kommt jeder selbst auf.

Heinz: Bei mir geht nichts darüber hinaus, dat versichre
ick dich, mein Großer. Bei mir nich. Ick bin vaheiratet.
Und das habe ich im Unterschied zu einigen Herrschaften nicht vagessen.

Horst: Gut, mein Heinz. *Sieht sich um.* Sehr hübsch hier.
Ausgesprochen gediegen und ansprechend.

Heinz: Rote Lampen, siehst du dat?

Horst: Natürlich rote Lampen. Soll doch alles ein bisschen schummrig-gemütlich sein.

Heinz: Aber ansonsten alles normal hier. Wie ne gewöhn-
liche Nachtbar. Nicht anders als in Rosenthal. Weißt
du noch, Horscht, Montage in Rosenthal?

Horst: Aber sicher, Heinz. Unvergessen. Die Nachtbar

in Rosenthal war unser. Is aba schon Jahre her. Da warn wir zwei noch hübsch und ledig. Jetzt sin wir nur noch hübsch.

HEINZ: Und dat Parkett dort ist die Tanzfläche. Da passierts.

HORST: Da steppt der Bär.

HEINZ: Is aber bannig klein für ne Tanzfläche. War in Rosenthal n ganzes Stück größer.

HORST: Is ausreichend. Mehr brauchts nich. De Meechens solln ja keinen Langlauf vorlegen. So wat, wie die hier machen, dat machen die auf einem winzigen Tisch.

HEINZ: Weiß ick.

HORST: Da wird nur ein bisschen mit dem Hintern gewackelt. Dafür brauchste kein Stadion.

HEINZ: Hab ick alles schon gesehn. Is für mich nich neu. Ick bin auch nich von gestern.

HORST: Nur so mit dem Hintern. Pfft, pfft.

HEINZ: Pfft, pfft. Und wat machen deine Meechens mit dem Ding hier. *Zeigt auf den Staubsauger.* Auch pfft, pfft?

HORST: Dat is n Staubsauger, Heinz.

HEINZ: Dat dat nich n Mischer is, seh ick selbst.

HORST: Der gehört nich hierher. Is noch vom Reinigungsgeschwader übrig geblieben.

HEINZ: Genau. Dat ists doch, wat ick meine. Wenn du mal einen Blick um dich wirfst, dann würdste sehn, dat hier geschlossen is. Wie ick dir hadd seggen.

HORST: Geschlossen? Ausgeschlossen.

HEINZ: Komm, Horscht, verschwinden wir, bevors mit dem Rausschmeißer Ärger gibt. Dat Etablissement hat noch geschlossen. Is viel zu früh für deinen Schweinekrams.

HORST: Ausgeschlossen. Vierunzwanzig Stunn, rund um

de Uhr, so stehts draußen drangeschriebn. Weißt du denn überhaupt nich, wat vierunzwanzig Stunn bedeutet? Hier is nicht geschlossen. Hier is nie geschlossen.

HEINZ: Kein Mensch da. Kannst du dat wenigstens sehn?

HORST: Gerappelt voll is es nich, soviel is sicher. Aber geschlossen is auch nich. Himmel up Erden is vierunzwanzig Stunn geöffnet. Da könn se jetzt nich plötzlich zu ham.

HEINZ: Und wo sin de Meechens? Siehst du hier irgendwo n Meechen?

HORST: Setz dich erstma hin un warte ab, wie die Dinge sich entwickeln tun.

HEINZ: Hier kannste dich nich hinsetzen. Da is alles dat reinste Reinigungstowabo, dein Himmel up Erden.

HORST: Ruhig, Heinz. Wolln wir uns erstma platzieren. *Nimmt von einem Tisch die Stühle herunter.* Setz dich so, dat du die Tanzfläche im Auge hast. Sonst vapasst du noch die Hälfte, wenns plötzlich losgeht. Er setzt sich.

HEINZ: Marlies un die zwei beidn Jungn warten auf mich. Soll ick denen seggen, ick war nur noch mal kurz im Himmel up Erden?

HORST: Marlies un deine zwei beidn Jungn könn gar nich auf dich warten. Die wissen überhaupt nich, dat du schon Feierabend hast. Also setz dich endlich, sonst vapasst du dat Beste. Und denn kannst du nich zu den Meechens seggen: Frolleins, bitte nochma, ick habe eben nicht richtig hingeluchst.

HEINZ: Mein Gott, Horscht, wir sin doch gar nich angezogen für. Hier brauchst du Schlips und Krawatte, und wir beide stehn in Arbeitshosen rum.

HORST: Arbeitshosen schänden nich. Und außerdem hab ickn Anzug an.

HEINZ: Seit wann isn Zimmermannsanzug n Anzug? N Anzug is Krawatte und Schlips, aber nich deine olle Arbeitshose.

HORST: Es is ein Zimmermannsanzug, wo ick drinstecke. Betonung auf »Zimmermann« und »Anzug«. Wie der Name seggen tut. Ick weiß nicht, in wat für Klamotten du hier aufgetaucht bist, ich jedenfalls stecke im Anzug.

HEINZ: Wenn der Rausschmeißer auftaucht, wern wir ja sehn, ob dat amtlich ein Anzug is. Abgeschabt un mit Kleister dran.

HORST: Kleister oder nich, isn Anzug. Kann ick beweisen. Brauch ick nurn Kassenzettel vorzeigen.

HEINZ: Klebt mit seiner kleistrigen Hose am Stuhl fest, aber solln Anzug sein. *Setzt sich gleichfalls.* Und nu? Wo sin deine Meechens? Keine Exotin zu sehn, weit und breit nich.

HORST: Wern grade pieseln gegangen sein. War den Moment keine Kundschaft im Laden, sind se pieseln gegangen.

HEINZ: Alle zusammen? Alle Meechens auf einmal?

HORST: Weißt du denn überhaupt nich, wie Fraun sin? Pieseln gehn se immer zusammen. Sitzen jeder auf seinem Klo un unnerhalten sich stundnlang oder so.

HEINZ: Wenn du meinst.

HORST: Müssen wir halt warten.

HEINZ: Pieseln aber lange.

HORST: Sin Exotinnen, haste ja gelesen. Da is alles ein bisschen anders.

HEINZ: Wat soll denn bei einem russischen Meechen anders sein? Kannste mir dat mal erklären. Wat soll denn da anders sein?

HORST: Wie kommst du auf russische Meechen? Hier sin

keine russischen Meechen. Dat sin Exotinnen. Entzückende Exotinnen.

HEINZ: Meechens aus Russland und Polen sins. Dat weiß ick zufällig.

HORST: Woher willst du denn dat wissn?

HEINZ: Der Polier hadds seggen. Polinnen und Russinnen, hadd er seggen.

HORST: Seggt dat der Polier?

HEINZ: Jau.

HORST: Da kannste ma sehn. Also der hat doch wirklich von nichts ne Ahnung. Wenn der mir ein Maß gibt, dat mess ick alles noch ma nach. Weil der Glupschaugen hat. Und ne Frau kann der gar nich richtig ansehn. Haste nich gemerkt, wenn der Polier mit ner Frau reden will, fängt er an zu stottern.

HEINZ: Polinnen und Russinnen.

HORST: Exotinnen, mein Junge. Weißt du denn nich, wat entzückende Exotinnen sin? Dat sin welche aus Thailand, Taiwan un … un noch ein Land.

HEINZ: Polinnen und Russinnen.

HORST: Thailand, Taiwan un … un Taihiti. Jetzt hab icks. Thailand, Taiwan und Taihiti, dat sin Exotinnen. Hab mich extra kundig gemacht. Wenn man hier schon sechs Wochen arbeitet un immer den Himmel up Erden vor der Nase hat mit der flackrigen Leuchtreklame, da will man wissn, woran man is. Thailand, Taiwan und Taihiti.

HEINZ: Hast dich kundig gemacht?

HORST: Jau.

HEINZ: Und wo, wenn man fragn darf?

HORST: Liest du denn keine Zeitung? Liest du denn überhaupt nie inner Zeitung?

HEINZ: Und da stand dat drin mit Taiwan und so?

Horst: Jau.

Heinz: Und jetzt sin die alle pieseln? So lange? Stand dat auch in deiner Zeitung?

Horst: Müssen wir halt abwarten. Vorfreude is die schönste Freude.

Heinz: Vorfreude hab ick jetzt genug. Ick kann nich weiter warten. Marlies un die zwei beidn Jungn warten auf mich.

Horst: Die könn gar nich auf dich warten, weil sie unmöglich wissen könn, dat wir heute Richtfest gefeiert ham. Wie inner guten alten Zeit. Weil der Bauherr so dämlich war, uns früh n Kasten unne Flasche Schluck hinzustelln.

Heinz: Marlies un die zwei beidn Jungn warten trotzdem auf mich.

Horst: Ganz ruhig, mien Jung. Bleib sitzen und konzentrier dich voll auf die Tanzfläche. Gleich gehts da vorn los.

Heinz: Ick seh nischt.

Horst: Nu, drängel nich. Wart noch ne Sekunde.

Heinz: Ick seh immer noch nischt.

Horst: Pssst.

Elsa kommt hinter der Bar hervor und greift, ohne die Männer zu sehen, nach dem Staubsauger, schaltet ihn ein und beginnt zu saugen; Heinz sagt etwas zu Horst, was man nicht verstehen kann; Horst steht auf, geht zu Elsa, tippt ihr auf die Schulter; Elsa schreit auf, stellt den Staubsauger ab.

Elsa: Gott im Himmel, jetzt hätt ick aba tot sein könn. Wat machen Sie denn hier? Wie sind Sie denn hier hereingekommen? Hat der Chef denn Handwerker bestellt? Davon weiß ick gar nichts.

Heinz *springt auf*: Wat ick dir immerzu seggen tu, hier is geschlossen. Aber du weißt ja immer alles besser.

Horst: Is hier geschlossen, gute Frau? Dat is doch nich möglich. Himmel up Erden, vierunzwanzig Stunn, steht da draußn. Da kanns doch nich diesen Moment geschlossen sein.

Elsa: Wat wolln Sie denn hier?

Horst: Wat wir wolln? – Wat wolln wir hier, Heinz? Säd dus ihr mal.

Heinz: Ick will gar nichts. Ick will nach Hause. – Entschuldigen Sie, aber Horst hat mir einfach nicht glaubn wolln, dat geschlossen is.

Elsa: Wir haben nicht geschlossn. Der Himmel up Erden ist rund um de Uhr offen. Aber Klock elf am Vormittach, da war hier noch nie wat los. Wat wolln Sie denn?

Horst: Ja, wat wolln wir? Den Himmel up Erden halt. Wies draußn dransteht. Entzückende Exotinnen.

Elsa: Sie sind Gäste? Sie sind keine Handwerker, die der Chef bestellt hat?

Horst: Wir sin Gäste, jau. Wir wolln mal hier reinschnuppern.

Elsa: Dann setzen Sie sich mal wieder.

Horst setzt sich wieder an den Tisch.

Früh um elfe, da war hier noch nie jemand. Darum mach ick um die Zeit immer ein bisschen sauber.

Heinz: Da wolln wir nich weiter stören. Soviel Zeit könn wir sowieso nich vertrödeln. Komm, schwing dich. Du merkst doch, wir störn.

Elsa: Nu setzen Sie sich mal wieder. Ick bringe Ihnen gleich die Karte, und dann können Sie sich wat aussuchen.

172

HORST: Und wat is mit dem Programm? Live-Show, entzückende Exotinnen? So wies draußn dransteht?

ELSA: Dat dauert noch einen Moment. Dat Meechen macht gerade noch ne kleine Besorgung. Muss ja auch mal sein.

HORST: Wenn sichs nur all wedder anfinden tut. Ick möt mi nich den ganzen Tach gedüllen. Wir wolln nur mal reinschnuppern. Wir haben dat Haus gegenüber hochgezogen. Und wenn man sechs Wochen lang den Himmel up Erden vor der Nase hat, dat sticht dann ins Auge. Da will man mal sehn, wat für Engel im Himmel up Erden zugange sin. Und heute war ne gute Gelegenheit.

ELSA: Dat Meechen muss jede Sekunde zurück sein. Und ick bringe Ihnen rasch die Karte. *Sie geht mit dem Staubsauger durch die Tür rechts ab.*

HEINZ: Ab durch de Mitte, Horscht. Willst du hier noch mehr Zeit vertrödeln?

HORST: N Schluck unn Bier hadd ick seggen. Und dabei bleibts. Wenn du jetzt kneifen willst, bitte. Aber ohne mich.

ELSA *kommt mit Karten zurück, die sie den beiden reicht*: Wenn Sie etwas essen wollen, die Küche ist nicht besetzt.

HORST: Nein, essen wolln wir nich. Essen essen wir zu Hause.

ELSA: Dann suchen Sie sich mal n Cocktail aus. Ick stell nur noch rasch die Stühle runter, dat es wieder nett ausschaut.

HEINZ *liest in der Karte*: Segg mal, siehst du dat auch, wat ick sehe?

HORST *liest ebenfalls in der Karte*: Gesalzene Preise. Da war die Nachtbar in Rosenthal manierlich dagegen.

HEINZ: Die steckn wohl in jedes Glas ein Pfund Gold extra rein.

HORST: Wir müssen ja kein Cocktail trinken. Cocktail is teuer.

HEINZ: Aba vonn Bier steht hier nischt.

HORST: Türlich steht da nischt vonn Bier. Die müssn ihre Cocktails loswern. Die wolln auf ihre teuren Cocktails nich sitzn bleibn.

HEINZ: Un wat machen wir nun?

HORST: Bleib ganz ruhig. Überlass dat alles mal Vadder.

ELSA *kommt an den Tisch*: Haben sich die Herren wat ausgesucht?

HORST: Nur n Schluck unn Bier zum Ausnüchtern. Und für ihn dito. Un denn geben Se den Meechens Bescheid, dat wir da sind. Die könn schon mal anfangen.

ELSA: Also dat tut mir leid, aber wir sind ne Cocktailbar, verstehen Sie. Alles, wat auf der Karte steht, von oben runter, dat kann ick Ihnen anfertigen. Aber wenn es nicht auf der Karte steht, dann nicht.

HORST: Nur n Schluck unn Bier. Schlicht einfach.

ELSA: Haben wir nicht. Führen wir nicht. Hier werden Cocktails serviert, wenn Sie wissen.

HORST: Ick weiß. So rotes und grünes Zeuch. Aber dat vertrage ick nich. Da wird mir ganz blümerant, und ick muss ausnüchtern jetzt. Ick will heute noch nach Hause.

ELSA: Hören Sie, der Himmel up Erden ist keine Kneipe. Hier gibts nicht n Schluck unn Bier, hier trinkt man Cocktails oder Champagner.

HORST: Vertrag ick nich. Wenn Se mich zwingen, dat zu schlucken, da könn Se neben mich stehn bleiben und zuschaun, wie mir schlecht wird. Wär doch schade um den schönen Teppich. Wosen grad sauber gekriegt habn.

HEINZ: Wat ick seggen hadd, Horscht, hier kriegste kein ordentliches Bier. Haun wir inn Sack. Marlies un die zwei beidn Jung wartn.

HORST: Nu mach keine Panik. – Gute Frau, Sie wern doch unter die vielen Fläschchen auf Ihrer Bar auchn ehrlichen Korn finden für uns beide. Und dazu ein kleines gepflegtes Bierchen. Aba nich ausm Kühlschrank, wenn ick bitten darf.

ELSA: Cocktails oder Champagner oder nischt, da müssen Sie sich schon entscheiden.

HEINZ: Wat hadd ick dir seggen!

HORST: Bleib ruhig. – Ick binn freier Mann, un da könn Se mich nicht zwingen, son grünes Zeuch zu trinken.

YVONNE *tritt durch die Tür links auf mit Einkaufsbeuteln; sie trägt einen Mantel, ein Kopftuch und verschmutzte Botten; von ihrem Kostüm sind nur die Netzstrümpfe zu sehen*: Bin zurück, Elsa. Aber ville los aufm Markt war heute nicht.

ELSA: Einen Moment, Yvonne. – Suchen Sie sich in aller Gemütsruhe etwas aus. Und wenn Sie wat gefunden haben, geben Sie mir Bescheid. *Sie geht zu Yvonne.*

YVONNE: Wat ist denn dat? Kundschaft oder Handwerker?

ELSA: Kundschaft. Aber es eilt nicht. Die sind noch stark am Überlegen. Wat hastn gekriegt?

YVONNE: Fleisch war nicht. Der Fleischwagen ist gar nicht gekommen. Ick hab uns Fisch geholt. Ist dir doch recht, Elsa?

ELSA: Fisch? Fisch hatten wir vorige Woche erst. Wat isses denn fürn Fisch?

YVONNE: Wat ganz Delikates. Seeteufel.

ELSA: Wat ist denn dat?

YVONNE: Na, Fisch.

HEINZ: Schluck unn Bier kannste vagessen, Großer. Die

wolln hier dicke Marie machen. Da gibts nur Cocktails und Schampus.

HORST: Dat is noch nich raus. Ick binn freier Mann. Und ick kann bezahln, wat ick trinke. Wenn ick son Cocktail haben wollte, ick könnte ihn bezahln.

HEINZ: Jau, Horscht.

HORST: Aber ick will kein. Is doch nur wat für Madams. Cocktails und Schampus!

HEINZ: So isses.

YVONNE: Schmeckt wie Marzipan, seggt de Trude.

ELSA: So? Die mussn loswerden. Gabs denn keinen Barsch? Oder nen anständigen Hering? Ein Stück Filet wär auch wat Schönes.

YVONNE: Ist halt wat Besonderes diesmal.

ELSA: Wat glaubst du denn, wat mein Alter seggen tut, wenn ick säd, es ist n Seeteufel? Und wat soll dat kosten?

YVONNE: Neunfünfzig.

ELSA: Neunfünfzig? Bist du noch bei Troste!

YVONNE: Ist wat Delikates halt.

ELSA: Wie Marzipan, ick weiß. Aber willst du Marzipan schmecken, wenn du nen Fisch vor dich auf dem Teller hast?

YVONNE: Musst ihn nicht nehmen. Ick nehm ihn auch.

ELSA: Und wat soll ick auf den Tisch stellen?

YVONNE: Der Fleischwagen ist nicht gekommen, Elsa.

HEINZ: Ob dat eine is?

HORST: Wat meinste denn, mein Heinz?

HEINZ: Ick meine die da. Ob die eine von denen is?

HORST: Wo?

HEINZ: Kuck doch nich so direkte hin.

HORST: Eine Exotin?

HEINZ: Sieht nich so aus, oder?

Horst: Is wohl eher ein Muttchen, wie?

Yvonne: Nimmstn oder nimmstn nicht?

Elsa: Wie frisch ist er denn?

Yvonne: Drin stecken tu ick nicht in ihm, aber frischer als wir beide allemal.

Horst: Hat se Schlitzaugen oder kneift se nur so?

Heinz: Starr doch nich so hin. Dat is ja peinlich mit dir.

Horst: Wenn se Schlitzaugen hat, isse ne Exotin.

Elsa: Na, gib schon her deinen Seesatan.

Yvonne: Dann werd ick mal. Jetzt sind de Kerle schon Klock elf in der Früh geil. *Sie geht durch die Tür rechts ab.*

Elsa *geht mit dem Fischpäckchen in der Hand zum Tisch*: Haben die Herrschaften sich entschieden?

Horst: Is alles nur Cocktails und Schampus. Vertrach ick nich. Dat würcht mir den Magen um und um. Dat würde mir heute den Rest gebn. Und ick muss ein bisschen ausnüchtern.

Elsa: Ick kann den Herrn die Cocktails auch ohne Alkohol machen.

Horst: Neeneenee, dann ists ja nur noch reines Bonbonwasser. Dat steh ick nich durch.

Elsa: Also wat?

Horst: Also wat, also wat! Bin ick kein freier Mann mehr? Also wat! Wat ist denn mit de Meechens? Wo ist denn hier die Himmel-auf-Erden-Live-Show?

Elsa: Ohne Bestellung läuft hier gar nichts. Wir haben Verzehrzwang.

Heinz: Wat soll denn dat sein?

Elsa: Wenn Sie dat Programm sehn wolln, müssen Sie wat aus der Karte bestelln. Es kostet keinen Eintritt, aber am Tisch muss bestellt werden. Kucken kostet eben.

Horst: Dann bring Se für mich un meinen Freund hier n Schluck unn Bier.

ELSA: Heiliger Strohsack, sind Sie aber schwer von Begriff, Mann. Wennse ne alte Frau aufn Arm nehmen wolln, da müssense früher aufstehn. Wenn Sie hier Ärger machn wolln, guter Mann, dann zieh ick aba ganz andre Saiten auf. Dann kann ick Ihnen auch etwas ganz anderes flüstern.

HEINZ: Mach uns kein Ärger, Horscht. Die bringts fertich un holt uns noch de Polessei aufn Hals. Dann gibtsn Protokoll un ne Vernehmung unn Schrieb nach Hause. Und wat soll ick dann Marlies un die zwei beidn Jungn vertellen, wo ick war?

HORST: Ick mach hier keinen Ärger. Aber ick bin ein freier Mann und habe Anspruch darauf, hier zu bekommen, wat Sie draußen dranschreiben. Und da steht dran: Himmel auf Erden, Live-Show, entzückende Exotinnen, vierunzwanzig Stunn, rund um de Uhr, freier Eintritt, preiswerte Getränke. Habn Sie verstandn? Preiswerte Getränke steht da, und nichts davon, dat man hier zum Verzehrzwang von grünen Cocktails gezwungen wird. Und von Meechens vonner Live-Show war bislang kein Zippelchen zu erspähn. Also machen Sie hier keinen Ärger, oder ick lass den Geschäftsführer komm.

ELSA: Zum letzten Mal, wollen Sie etwas bestellen oder ziehen Sie es vor, den Gastraum zu verlassen?

HORST: Ick bestelle. Aber keinen Cocktail. Alles von mir aus, de Karte hoch und runter, aber keinen Cocktail und keinen Schampus. Dat würcht mich.

ELSA: Dann möchte ick Ihnen dringend empfehlen, Wasser zu trinken, wenn Sie nichts vertragen.

HORST: Schön, dann bringen Sie mir Wasser. Wenn Sie hier keine gepflegten Bierchen habn. Is mir lieber, als dieser grüne und rote Bonbonsaft, den Sie anbieten.

ELSA: Einmal Mineralwasser, der Herr. – Und Sie?

HEINZ: Habn Sie denn wirklich Wasser? Einfaches Wasser?

ELSA: Natürlich.

HEINZ: Ja, wenn Sie Wasser habn, dann nehm ick auch ein Glas Wasser.

ELSA: Steht doch alles in der Karte. Hier bitte. San Pellegrino.

HEINZ *liest in der Karte*: Aber dat geht doch nich. Dat is doch Sekt.

ELSA: San Pellegrino ist kein Sekt. Dat ist Mineralwasser.

HEINZ: Horscht, hier steht vierunzwanzigachtzig. Ick kann doch kein Wasser trinken für vierunzwanzigachtzig.

HORST: Nu bestell schon, dat wir hier weiterkommen. Du hältst die ganze Live-Show auf.

HEINZ: Vierunzwanzigachtzig. Is dat ne 50-Liter-Kruke oder wat?

Die Tanzfläche wird plötzlich mit farbig wechselndem Licht angestrahlt.

HORST: Es geht los. Nun man to, mien Jung. Hier gehts los, und du bringst es fertich und hältst alles mit deinem Wasser auf. Du bringst es fertich, hier herumzudiskutieren, bis alles vorbei is und wir nischt gesehn habn.

HEINZ: Da kann ick ja gleich n Cocktail bestelln bei Ihre Preise.

ELSA: Dat kann der Herr natürlich auch.

Musik setzt ein.

HORST: Nun man to. Es geht los. Du kannst doch nich mit deinm Wasser die Live-Show aufhalten. – Bringse ihm auchn Wasser, dat wir vom Fleck komm.

Heinz: Dat krieg ick nich runter. Ein Glas Wasser für vierunzwanzigachtzig, dat krieg ick einfach nich runter.

Horst: Dann bringse meine Flasche mit zwei Gläsern, dat wir hier nochma vorwärts komm.

Elsa: Dat ist nicht gestattet. Wie ick Ihnen schon erklärte, wir haben Verzehrzwang. Kucken kostet. Wer wat sehen will, muss wat bestellen. Sie sind zu zweit, Sie müssen mindestens zwei Flaschen Wasser bestellen.

Horst: Zwei Flaschen Wasser! Wollnse, dat wir uns hier vor Ihren Augen ertränken an Ihrem Wasser?

Heinz: Zwei Flaschen, dat sind zweimal vierunzwanzigachtzig, dat macht …

Horst: Nun bringnse uns de Flaschen endlich. – Ick bezahls dir, mein Junge. Vadder bezahlt alles.

Heinz: Nee, für mich nich. Dat krieg ick nich runter. Nich für vierunzwanzigachtzig. Da kann ick mit Marlies un die zwei beidn Jungn n ganzen Nachmittach aufn Rummel gehn, un da zahl ick nich einen Pfennig mehr.

Horst: Da sehnse, wat Se aus dem armen Jungen gemacht habn. Der is ja schon ganz durchn Wind.

Yvonne tritt auf und stolziert zur Tanzfläche; sie hat den Mantel abgelegt und trägt ein Bunny-Kostüm, Netzstrümpfe mit Strapsen und hochhackige Schuhe.

Horst *springt auf, um besser sehen zu können*: Oh, lala. Nun wolln wir uns ma konzentrieren. Gib deine Bestellung ab und halt hier nich den Laden auf. Es geht los. Gleich wern dich de Augen aus dem Kopp fallen, mein Junge. Dat hast du noch nich gesehn, wat jetzt losgeht.

Elsa: Also hier geht gar nichts los. *Sie geht zur Bar und stellt die Musik aus.*

Yvonne: Wat issn jetzt, Elsa?

ELSA: Lass dir Zeit, Yvonne. Die Herren sind noch nicht so weit.

HORST: Jetzt hast dus geschafft. Wir warn so dichte dran anner Live-Show, und du bringst es tatsächlich fertich un hast es geschafft. Ein feiner Kumpel, muss ick schon seggen.

HEINZ: Ick trink kein Wasser für vierunzwanzigachtzig. Krieg ick nich runter.

HORST: Wen interessierts, wat du runter kriechst und wat nich. Dat Meechen wollte gradewegs loslegen, und da fängst du mit deinen Sperenzchen an. Ein feiner Kumpel.

YVONNE *kommt an den Tisch*: Wat issn los?

HORST: Fragn Se mich nich. Dat will ein Kumpel sein und stirbt bald vor Geiz. Auf wat der spart, dat möcht ick mal wissen.

HEINZ: Ick trink kein Wasser für vierunzwanzigachtzig.

HORST: Da hörn Ses selber. – Und ohne dat Wasser läuft hier keine Show ab, geht dat nich in dein Schädel rein? *Er setzt sich wieder.*

ELSA *stellt eine Flasche Wasser und ein Glas auf den Tisch*: Einmal Pellegrino, der Herr. – Und Sie, haben Sie sich entschieden?

HORST: Kriechste deine Zähne nich ausnander? Die Frau hat dich wat gefragt.

YVONNE *setzt sich Heinz auf den Schoß*: Wat is denn mit uns zwei beiden, mein Döschkopp?

HEINZ: Machense mich nich unglücklich, gute Frau. Ich bin vaheiratet.

HORST: Mann Gottes, bist du n dröge Jung, Heinz. – Kommse zu mir, Frollein, bei mir is für Sie immer ein Platz frei.

YVONNE: Nee, du bist mir zu gefährlich, das seh ich gleich. Ein viel zu gefährlicher Mann fürn schutzloses Mee-

chen. *Sie steht auf und setzt sich auf einen Stuhl.* Wollt
Ihr zwei Hübschen mir nicht wat spendieren?

HEINZ: Horscht, pass jetzt auf!

HORST: Woran habn Sie denn so gedacht, schöne Frau?
Son grünen oder roten Cocktail?

HEINZ: Du bringst dat fertich. Hast du schon vergessen,
wat dat kostet?

YVONNE: Nee, keinen Alkohol. Am Tache keinen Alkohol.

HORST: Bestelln Sie sich, wonach es Sie jiepert. Vadder
zahlt.

YVONNE: Vielleicht einen kleinen O-Saft. Odern Wasser. –
Elsa, bring mir nochn Glas. Ick trink mit dem Herrn
aus einer Flasche. – Is dir doch recht?

HORST: Is mir eine Ehre, schöne Frau.

YVONNE: Bring zwei Gläser, Elsa, dann muss sein Freund
hier nich trocken herumsitzen.

ELSA: Wat isn in dich gefahren? Na, du musst ja wissen,
wat du tust. *Sie geht zur Bar.*

HORST: Sie sprechen aber sehr gut deutsch, schöne Frau.
Wie gelernt.

YVONNE: Dat möchte wohl sein.

HORST: Wirklich und wahrhaftig. Jedes Wort akkurat. Dat
hat man nich oft heutzutache.

ELSA *stellt verärgert zwei Gläser auf den Tisch*: Bitte. Da
kann ick wohl die Beleuchtung ausstellen. Kostet alles
Geld, und hier kommt nichts rein. *Geht ab und stellt die
Beleuchtung der Tanzfläche ab.*

HORST *gießt ein*: Also dann zum Wohl, auch wenns nur
Wasser is. – Willst du nich trinken?

HEINZ: Ick trink dat nich. Ick fass dat gar nich an.

HORST: Der muss de Tür im Auge behalten fürn Fall, dat
seine Schwiegereltern hier reinspazieren.

YVONNE: Prost. Ick heiße Yvonne.

HORST: Yvonne. Ein schöner Name. Und ick bin Horst, der Zimmermann. Also Horst heiß ick, un Zimmermann bin ick. Nich, dat Se denkn, ick heiße Zimmermann. Heißen tu ick Horst. Un dat is Heinz, der Maurer.

YVONNE: Wien Maurer siehste aber nich aus.

HEINZ: Warum denn nich?

YVONNE: Du siehst eben nich so aus wien Maurer.

HORST: Heinz, die hat dich durchschaut. Ein richtcher Maurer is er wirklich nich. Nu son angelernter. Mann, schöne Frau, Sie habn ja einen Blick. Dat Se dat gleich gesehn habn.

HEINZ: Dat ist doch alles Quatsch. Ick bin Maurer.

HORST: Aber nurn angelernter. N Fluchtenmaurer eben. Wenn Se verstehn, Yvonne. Ick darf Sie doch so nennen? Er mauert nur die Fluchten, immerzu geradedurch. Wenns an die Ecken geht, dann muss Vadder ran.

HEINZ: Ick mauer auch Ecken und Giebel. Ick hab sogar schon Rundbogen gemauert, und dat is nich einfach.

HORST: Sicher, Heinz, dat machst du alles und dat kannst du alles bei dich zu Hause. Da kannste drei Bogen übernander mauern. Aber da, wo de Leute für zahln, da lässt du Vadder ran. – Muss doch alles nach wat aussehn, Yvonne.

HEINZ: Ick bin Maurer, und du musst dem Frollein nich wat vertellen.

YVONNE: Ick meine ja nur, dat du nicht aussiehst wie ein Maurer.

HEINZ: Wie seh ick denn aus?

YVONNE: Wenn du mich so fragst, naja, ick würde seggen, wien Maler.

HORST: Dunnerschlach, Sie habn aba ein Auge. Dat Meechen gefällt mir. Aufn Punkt habn Ses getroffen, aufn Punkt.

HEINZ: Wieso seh ick wien Maler aus?

HORST: Weil du einer bist, mein Heinz. – Er is tatsächlich Maler, aber dann is seine Firma krachen gegangn un er war über ein Jahr arbeitslos. Da hab ickn als Maurer angelernt. Aber eigentlich is er Maler, dat sehn Se ganz recht, Yvonne. – Heinz, dat Meechen gefällt mir. – Prost, schöne Frau.

HEINZ: Wieso seh ick wien Maler aus? Könnse dat mal erklärn?

YVONNE: Wie soll ick denn dir erklären, wieso du aussiehst, wie du aussiehst? Kannst du mir dat mal erklären?

HORST: Da habn Se wieder den Nagel aufn Kopp getroffen. – Wie soll ein Mensch dir erklärn, warum du so aussiehst, Heinz? – Sie gefallen mir, Yvonne.

YVONNE: Und warum nennst du deinen Freund immer Heinz? Wien Heinz sieht er eigentlich nich aus.

HEINZ: Wat soll denn dat nun wieder?

HORST: Dunnerlüchting noch mal. Meechen, Se habn ja einen Blick. Wie könnse denn sehn, dat der Heinz nich Heinz heißt?

YVONNE: Er sieht nich nach aus. Er sieht nich wien Heinz aus.

HORST: Un wonach sieht er aus?

YVONNE: Na, wenn ick ihn mir so richtig anschaue, also dann möcht ick seggen, er sieht mehr wien Achim aus.

HORST: Dat gibst doch gar nich. Hast du dat gehört, Heinz?

HEINZ: Du, wir wern hier reingelegt.

HORST: Also, dat is direkte unheimlich. Der Heinz heißt wirklich Achim. Als er auf meine Baustelle kam, da hatten wir schon einen Achim. Da säd ick zu ihm, bevor hier ein großes Towabokuddelmuddel entsteht und man überhaupt nich mehr weiß, wer gemeint is, nenn ick dich Heinz. Heinz hattn wir noch nich. Und dabei isses gebliebn. Sogar die Marlies, wat seine Frau is, ruftn jetzt Heinz. Aba wie Sie dat sehn könn, Frollein Yvonne, dat is unheimlich. Sie müssen gradewegs ein zweites Gesicht habn.

YVONNE: Freilich. Hab ick auch. Bei Männern hab ick ein zweites Gesicht. Is gar nich so schwierig, wie man meinen möchte.

HEINZ: Woher will die dat alles wissn? Pass auf, Horscht, dat se uns hier nicht dat Fell über die Ohrn ziehn.

HORST: Keine Panik, Heinz. – Darf man fragen, von wo Sie her sind?

YVONNE: Ick komme aus Zarrentin.

HORST: Ach wat. Zarrentin kenne ick nich. Nie von gehört.

HEINZ: Wieso behauptest du, du kennst Zarrentin nich?

HORST: Ick kenn es nich. Thailand, Taiwan und dann dat dritte, wie heißt dat gleich, Taihiti, die kenn ick. Aba Zarrentin, nie von gehört. Muss nochn Stücker weiter weg sein.

HEINZ: Kennt Zarrentin nich! Will plötzlich Zarrentin nich kennen!

HORST: Nee, kenn ick nich. – Da ham Se wohl ne weite Reise hinter sich, Frollein?

HEINZ: Mensch, Horscht, Zarrentin! Hinner der großen Tankstelle rechts die Teerstraße lang durchn Alten Bruch durch, da liegt Zarrentin. Un dat willste plötzlich nich kennen?

HORST: Ach, unser Zarrentin? Sie kommen aus unserm Zarrentin, Frollein?

YVONNE: Freilich.

HORST: Da, wo Zabel-Uli wohnt, der mit seinn Brieftauben fast einmal Deutscher Meister gewordn wäre?

YVONNE: Freilich.

HORST: Ach, dann bist du eine von uns? Dann sprichste so gut deutsch, weilde sowieso deutsch sprichst?

YVONNE: Freilich.

HORST: Dann bist du gar keine ... ick meine, da draußen steht doch dran, Exotinnen.

YVONNE: Früher hatte der Chef mal eine, aber mit der war er gleich überquer. Die habn sich gefetzt, jeden Abend. Und dann isse abgehaun.

HORST: Und jetzt sin gar keine Exotinnen mehr im Himmel up Erden?

YVONNE: Na, Elsbieta is noch da, eine aus Polen.

HEINZ: Wat ick dir hadd seggen. Exotinnen und Cocktails, dat schreiben di nur hin, um abzukassieren.

HORST: Sach mal, jetzt dämmerts mir: du kennst den Heinz schon?

YVONNE: Freilich.

HORST: Du kennstn von früher?

YVONNE: Freilich.

HORST: Un du kennstse nich, Heinz?

HEINZ: Nee. Ick kenn se nich. Wüsste nich, woher.

YVONNE: Vonner Berufsschule, Achim. Maler und Bauzeichner warn zusammen auf einer Berufsschule. Is schon n Stücker Jahre her, aber dich hab ick gleich erkannt. Damals warste scharf auf meine Freundin, die blonde Katrin. Aber bei der konntste keinen Stich machn. Da biste abgeblitzt.

HEINZ: Kann mich nich erinnern.

HORST: Mann, Heinz, du musst dich doch erinnern. Hastu denn n Kopp wien Sieb? Wenn ick mit son Meechen auf die Berufsschule gegangen bin, dat würde ick mein Lebn lang nich vagessen. – Dat kannste mir glaubn, Yvonne.

YVONNE: Und an die blonde Katrin kannste dich auch nich mehr erinnern?

Heinz: Ick bin vaheiratet.

Horst: Dat will se doch gar nich wissen. Ob de dich erinnern kannst? Mensch, du kannst doch so ein Meechen nich vagessen.

Heinz: Vielleicht. Vielleicht auch nich.

Horst: Und du bist ne Bauzeichnerin? So richtig gelernt?

Yvonne: Freilich.

Horst: Und wenn ick, nur mal angenomm, eine Veranda bei mich anbaun will und dafür eine Baugenehmigung brauche, dann könntest du, nur mal angenomm, eine richtich amtliche Zeichnung für mich machen?

Yvonne: Freilich.

Horst: Dat Meechen gefällt mir. Mensch, Heinz, die is wirklich exotisch. – Un dat hier, wat de hier machst, wo hast du dat gelernt?

Yvonne: Dat habe ick nicht gelernt. Dat ist angeboren. Manche hats halt und manche lernts nie. Da kann se sich anstrengen, so viel sie will, so wat is angeboren.

Horst: Aba alles is nich angeboren, Yvonne. Ein paar Nettigkeiten sin erst später gewachsen. Hab ick recht?

Yvonne: Bist du da sicher?

Horst: Jau. Da bin ick sicher.

Yvonne: Aber ganz sicher würde ich an deiner Stelle erst sein, wenn du gesehen hast, wie ick mit den Mädchen dat Programm abziehe.

Horst: Un de andern Meechens sin auch so stramm gebaut?

Yvonne: Freilich.

Horst: Dann lass mal sehn, wat du drauf hast. Nu man to.

Yvonne: Für zwei Figuren, die sich an einem Glas Wasser festhalten, nee, mein Lieber, da wackelt hier kein Hintern. Wir sind nicht die Heilsarmee.

Horst: Mann, wir könn doch nich frühmorgens mit

Cocktails loslegen. Ick muss ein bisschen ausnüchtern, bevor ick mich hinters Lenkrad klemme.

YVONNE: Und ick kann mich nicht fürn Glas Wasser hinstelln. Wenn der Chef runterkommt, der kriegn Herzschlach. Is sowieso son Sensibelchen. Du musst am Abend vorbeischaun, wenn der Laden voll ist.

HORST: Abgemacht. Ick komm, Yvonne.

HEINZ: Du bringsts fertich und machst dat.

HORST: Mach ick.

HEINZ: Und gehst hier als armer Mann wieder raus.

HORST: Vielleicht. Aber dann bin ick sicher, nicht wahr, Yvonne.

YVONNE: Dat ist sicher, Horst. – Und du, interessierst du dich denn gar nicht dafür, Achim?

HEINZ: Ick kenn alles schon.

HORST: Dat kennst du?

HEINZ: Kenn ick alles.

HORST: Woher willst du denn dat kenn?

HEINZ: Von Video. Kenn ick alles von Video.

YVONNE: Nee, son Schweinekrams machen wir nicht.

HEINZ: Ick leih mirn Video aus für sechs Mark, und dann schau ick mich dat mit Marlies an.

HORST: Mit Marlies un die zwei beidn Jung.

HEINZ: Wat redstn fürn Quatsch. Dat schau ick mich doch nicht mit meinen beiden Jung an. Nur mit Marlies. Da trink ick n Schluck unn Bier dazu, un dat Video kann ick mich zehnmal hintereinander anschaun, und dat kostet mich nich einen Pfennig mehr als sechs Mark den ganzen Abend.

HORST: Und wenn du nochn Freund einlädst und Eintritt verlangst, kannste noch wat gutmachn.

YVONNE: Warum bist du dann überhaupt hier reinspaziert, Achim? Und so frühmorgens?

HORST: Wir habn dat Haus gegenüber hochgezogn, Yvonne. Und heute war Richtfest. Wir hängn noch eine Richtkrone hin, schön wie sonstwat, die kannste dich anschaun, da is nich dran zu tippen. Und dann kommt der Dussel von Bauherr und stellt uns früh um siebn n Kasten Bier hin unne Flasche Schluck. Son Dussel. Drei Stundn später kommt der Polier, da war alles weggeputzt. Da konnter uns nich mehr aufs Gerüst lassn. Arbeitsschutz, Meechen. Durfte er nich. Nu befetzt er sich mit dem Bauherrn, dem Dussel, wer den Tach bezahln muss. Unser Baubetrieb, weil wir heut nich aufm Gerüst sin, oder der Bauherr, weil er uns absichtsvoll unter Strom gesetzt hat. Da segg ick zu Heinz, bevor wir uns ins Auto retour schwingn, müssen wir ausnüchtern. Gehn wir inn Himmel up Erden. Sechs Wochen hats mich ins Auge gestochn. Jeden Tach, den ick aufn Bau stand, sah ick den Himmel up Erden vor mich. Und heute wollte ick sehn, wat hier Sache is.

YVONNE: Komm mal vorbei, wenn der Laden voll is.

HORST: Mach ick, Yvonne. Aba dann will ick auch wat sehn.

HEINZ: Un vergiss nich, dirn Hunderter einzusteckn. Den wirste brauchen könn.

HORST: Ick komme, Yvonne. Na denn, prost.

YVONNE: Prost, Horst.

HEINZ *trinkt misstrauisch*: Schmeckt reinewegs nach gar nischt.

HORST: Schmeckt nach Wasser eben.

HEINZ: Für vierunzwanzigachtzig. So viel zahl ick im ganzen Quartal fürs Wasser nich.

HORST: Heinz spart. Der spart, wo er kann. Bei dem muss de ganze Familie in die gleiche Wanne, um Wassergeld zu sparn.

YVONNE: Dann werd ick mal wieder, Jungs. Ihr macht euch aufn Heimweg, und ick will mich mal wat überziehn, bevor ick meine edelsten Teile abfriere. *Geht ab.*

HORST: Dat Meechen gefällt mir.

HEINZ: Willste hier wirklich groß einreiten un dir dat ganze schöne Geld aus der Tasche ziehn lassn für diesen Firlefanz mit halbnackten Meechens und Cocktails?

HORST: Man lebt nur einmal.

HEINZ: Fremde Weiber, dat kostet, dat kann ick dir seggen.

HORST: Vadder hats ja.

ELSA *tritt auf*: Die Herren wollen zahlen.

HORST: Einmal Wasser. San Pellegrino.

ELSA: Einmal Wasser mit drei Gläsern.

HEINZ: Watn? Kostet dat extra?

ELSA: Vierunzwanzigachtzig.

HORST: Bitte.

ELSA: Wenn Sie die zwanzig Pfennig retour haben wolln, muss ick erst Kleingeld holen.

HORST: Stimmt so. Heute sin wir großzügig. Aber wenn Sie mit Ihrem Himmel up Erden Geld verdienen wolln, dann solltn Se auch n Schluck unn Bier anbieten. Cocktails und Schampus, dat is wat für Filmschauspieler und Madams, aba nich für freie Männer.

HEINZ *steht auf*: Nu komm endlich. Un kuck vorher raus, dat wir nich noch meine Schwiegereltern inn Arm laufen.

Horst steht auf und setzt seinen Hut auf, beide gehen zum Ausgang.

HORST *schlägt Heinz entsetzt auf die Schulter*: Mien Gott, Heinz!

HEINZ: Wat issn los, Horscht? Warum erschreckstn mich so?

HORST: Mien Gott, wat wern Marlies un die zwei beidn Jungn seggen, wenn se erfahren, mit wem du inne Berufsschule warst? *Er geht lachend ab.*

Heinz folgt ihm zögernd; Elsa räumt Flaschen und Gläser ab, während der Vorhang fällt.

ISBN 3-351-02891-1

1. Auflage 1999
© Aufbau-Verlag GmbH, Berlin 1999
Einbandgestaltung Henkel/Lemme
Druck und Binden Clausen & Bosse, Leck
Printed in Germany

Lassalle fragt Herrn Herbert
nach Sonja. Die Szene ein
Salon. Schauspiel in drei
Akten

George Meredith: The tragic
Comedians
Stefan Heym: Lassalle